CON

Sherl

MORE MYSTERIES
Nouvelles enquêtes

Silver blaze / Flamme d'argent

The three Garridebs / Les trois Garrideb

His last bow /Son dernier coup d'archet

Choix, traduction et notes par
Frédérique Coste

Sommaire

Prononciation

Sons voyelles

[ɪ] **pit**, un peu comme
le *i* de *site*
[æ] **flat**, un peu comme
le *a* de *patte*
[ɒ] ou [ɔ] **not**, un peu comme
le *o* de *botte*
[ʊ] ou [u] **put**, un peu comme
le *ou* de *coup*
[e] **lend**, un peu comme
le *è* de *très*
[ʌ] **but**, entre le *a* de
patte et le *eu* de *neuf*
[ə] jamais accentué, un peu
comme le *e* de *le*

Voyelles longues

[iː] **meet**, [miːt] cf. *i*
de *mie*
[ɑː] **farm**, [fɑːm] cf. *a*
de *larme*
[ɔː] **board**, [bɔːd] cf. *o*
de *gorge*
[uː] **cool**, [kuːl] cf. *ou*
de *mou*
[3ː] ou [əː] **firm**, [fəːm]
cf *e* de *peur*

Semi-voyelle

[j] **due**, [djuː],
un peu comme *diou…*

Diphtongues (voyelles doubles)

[aɪ] **my**, [maɪ], cf. *aïe !*
[ɔɪ] **boy**, cf. *oyez !*
[eɪ] **blame**, [bleɪm], cf. *eille*
dans *bouteille*
[aʊ] **now**, [naʊ] cf. *aou* dans
caoutchouc

[əʊ] ou [əu] **no**, [nəʊ], cf. *e
+ ou*
[ɪə], **here**, [hɪə], cf. *i + e*
[eə] **dare** [deə], cf. *é + e*
[ʊə] ou [uə] **tour**, [tʊə], cf.
ou + e

Consonnes

[θ] **thin**, [θɪn], cf. *s* sifflé
(langue entre les dents)
[ð] **that**, [ðæt], cf. *z* zézayé
(langue entre les dents)
[ʃ] **she**, [ʃiː], cf. *ch* de *chute*

[ŋ] **bring**, [brɪŋ], cf. *ng*
dans *ping-pong*
[ʒ] **measure**, ['meʒə], cf. le
j de *jeu*
[h] le *h* se prononce ; il est
nettement <u>expiré</u>

Accentuation

ˈ accent unique ou principal, comme dans MOTHER ['mʌdə]
ˌ accent secondaire, comme dans PHOTOGRAPHIC [ˌfəʊtə'græfɪk]
* indique que le *r*, normalement muet, est prononcé en liaison
ou en américain.

© Langues pour tous, Pocket 2000, pour la traduction et les notes
Nouvelle édition 2004
ISBN : 2-266-13983-5

Comment utiliser la série « Bilingue » ?

Les ouvrages de la série « Bilingue» permettent aux lecteurs :
• d'avoir accès aux versions originales de textes célèbres, et d'en apprécier, dans les détails, la forme et le fond, en l'occurrence, ici, **trois nouvelles de Conan Doyle** ;
• d'améliorer leur connaissance de l'anglais, en particulier dans le domaine du vocabulaire dont l'acquisition est facilitée par l'intérêt même du récit, et le fait que mots et expressions apparaissent en situation dans un contexte, ce qui aide à bien cerner leur sens.

Cette série constitue donc une véritable méthode d'auto-enseignement, dont le contenu est le suivant :
• page de gauche, le texte en anglais ;
• page de droite, la traduction française ;
• bas des pages de gauche et de droite, une série de notes explicatives (vocabulaire, grammaire, etc.).

Les notes de bas de page aident le lecteur à distinguer les mots et expressions idiomatiques d'un usage courant aujourd'hui, et qu'il lui faut mémoriser, de ce qui peut être trop exclusivement lié aux événements et à l'art de l'auteur.

Il est conseillé au lecteur de lire d'abord l'anglais, de se reporter aux notes et de ne passer qu'ensuite à la traduction ; sauf, bien entendu, s'il éprouve de trop grandes difficultés à suivre le texte dans ses détails, auquel cas il lui faut se concentrer davantage sur la traduction, pour revenir finalement au texte anglais, en s'assurant bien qu'il en a maintenant maîtriser le sens.

Sherlock Holmes dans l'œuvre de Conan Doyle

Sir Arthur Conan Doyle est né à Edimbourg en 1859 dans une famille catholique de lointaine origine franco-normande, au XIIᵉ siècle, passée depuis en Irlande. Son père, Charles Altamont, était un médiocre fonctionnaire, et son enfance parmi ses dix frères et sœurs fut difficile. Il mourut en 1930.

Docteur en médecine de l'université d'Edimbourg en 1881, il s'établit médecin l'année suivante dans un faubourg de Portsmouth, non sans difficultés au début. Il y exerce jusqu'en 1890. C'est là qu'après avoir d'abord écrit des histoires pour les enfants et diverses nouvelles, il créa son célèbre Sherlock Holmes, personnage central de sa première œuvre, *Une étude en rouge* (A Study in Scarlet), publiée en 1887. Elle eut un immense succès et le décida à se consacrer entièrement à la littérature.

Un scandale en Bohême, qui passe en feuilleton dans le magazine *Strand,* portera sa célébrité rapide à son zénith : tournée triomphale aux Etats-Unis et vraie gloire mondiale que couronne en 1903 le titre de baronet attribué par le roi Edouard VII. Excédé par le succès de Sherlock Holmes, véritable mythe auquel une partie du public donne vie, au point de l'identifier avec l'écrivain lui-même, il le tuera en 1893 dans *Le Dernier problème,* avant de le ressusciter sous la pression de l'opinion en 1904, dans *Résurrection de Sherlock Holmes.* Ayant déjà navigué et couru mainte aventure en sa jeunesse, il se remit à voyager, tantôt en touriste observateur, tantôt comme médecin (Suisse, Italie, Egypte, puis campagne du Soudan en 1898, guerre des Boers en 1899-1902). Il s'engage même comme simple « tommy » pendant la Grande Guerre. Publiant de nombreux romans historiques et surtout policiers, il sera obligé de revenir au personnage de Sherlock Holmes, qui assure sa meilleure célébrité, bien qu'il eût préféré être apprécié davantage pour ses travaux de philosophie, de science-fiction et d'histoire.

Après la mort de sa première femme en 1906, et de son fils au front, pendant la Grande Guerre, il devint un adepte du spiritisme et s'en fit même le très ardent propagandiste. Conan Doyle, marié et père de famille, était un vigoureux sportif, courageux et même aventureux. Il frôla souvent la mort dans ses voyages. On trouvera de nombreuses traces de ces expériences pittoresques dans son œuvre. A la fois imaginatif et plein de bon sens, souvent réaliste sans être vulgaire, animé de vifs sentiments philosophiques et en tout cas d'une grande curiosité pour l'espèce humaine, influencé par Edgar A. Poe et par Emile Gaboriau — ces ancêtres du roman policier —, il appliqua ses dons d'analyste à l'étude d'intrigues toujours très crédibles. Expert dans l'art de traiter des cas humains exemplaires, il est par suite un classique qui ne vieillit pas. L'un de ses récits les plus célèbres, *Le Chien des Baskerville* — où l'angoisse propre au roman fantastique est résolue par des applications rationnelles — satisfait le goût bien anglais de l'énigme menée imperturbablement à son terme.

Enfin, sa formation médicale lui permit de conduire ses recherches en vrai précurseur de l'enquête policière scientifique, où chimie, logique et psychologie, mais aussi botanique, géologie et même mécanique, entre autres, sont les auxiliaires de l'observation et de la déduction pour — en marge des apparences et des préjugés — déterminer après de palpitants « suspenses » la solution intelligente, inattendue, mais lumineuse.

Tandis qu'il transfère sur le docteur Watson une part notable de son statut social et de sa propre histoire (un petit médecin de banlieue, ayant eu des aventures outre-mer et connu des débuts professionnels médiocres), ce qu'il projette en imagination sur Holmes, ce sont ses propres aptitudes mentales exceptionnelles, ses connaissances très diverses.

Il invente ainsi un personnage attachant, simple et crédible. Seules l'intelligence déductive et les méthodes d'investigation nous surprennent par leur caractère imprévisible. Sherlock Holmes n'a pas le cabotinage faisandé d'Arsène Lupin, il a plus de classe et de distinction que le brave Rouletabille. Il est un gentleman prodigieusement doué. Doué de toutes les qualités de Sir Arthur Conan Doyle lui-même, et, en même temps, les portant à l'extrême, cet extrême même entraînant sans doute les contradictions du personnage.

Sherlock Holmes nous semble à la fois étrange et familier. Cyclothymique, il se montre tour à tour expansif et secret. Parfois très rude et pourtant d'une grande sensibilité (cf. son émotion à peine voilée dans *Les Trois Garrideb*, après la blessure de Watson). Ce paresseux, souvent rêveur et lymphatique, a soudain dans l'exercice professionnel des phases d'activisme effréné. Sobre et maître de soi, équilibré dans la vie courante, il noie parfois son spleen d'injections de cocaïne. Infatigable dans l'action mais fragile en profondeur, boxeur de première classe mais violoniste raffiné, tour à tour mystérieux et limpide, il sait être parfois extravagant mais en restant toujours décent. Et c'est lui qui confie son ambivalence au docteur Watson dans les débuts de l'*Etude en rouge* : « Chez moi l'observation est une seconde nature... » et : « J'aime agir d'intuition pour ce genre d'affaires. »

Apparu un beau matin dans un laboratoire de chimie sans autre préavis, on ne sait rien de sa famille, de son passé, de ses amours, de ses pensées profondes. On l'aime au point que le public désespéré de sa mort romanesque réussit jadis à exiger son retour. On peut voir en lui une réincarnation de Conan Doyle, enrichie d'emprunts à son milieu, mais au fond, nous ne savons pas vraiment qui est Mr Sherlock Holmes.

SILVER BLAZE

Flamme d'argent

"I am afraid, Watson, that I shall have to [1] go," said Holmes [2], as we sat down together to our breakfast one morning.

"Go ! Where to [3] ?"

"To Dartmoor - to King's Pyland."

I [4] was not surprised. Indeed, my only wonder was that he had not already been mixed up in [5] this extraordinary case, which was the one topic of conversation through the length and breadth [6] of England. For a whole day my companion had rambled [7] about the room with his chin upon his chest and his brows knitted [8], charging and recharging his pipe with the strongest black tobacco, and absolutely deaf to any of my questions or remarks. Fresh editions of every paper had been sent up by our newsagent only to be glanced over [9] and tossed down [9] into a corner. Yet, silent as he was, I knew perfectly well what it was over which he was brooding [10]. There was but one [11] problem before the public which could challenge his powers of analysis, and that was the singular disappearance of the favourite for the Wessex Cup, and the tragic murder of its trainer. When, therefore, he suddenly announced his intention of setting out for the scene of the drama, it was only what I had both expected and hoped for.

"I should [12] be most happy to go down with you if I should not be in the way," said I.

"My dear Watson, you would confer a great favour upon me by coming.

---

1. **I have to :** *je dois, il faut que je* ; sert d'équivalent à **must** au futur. L'auxiliaire **shall** indique *une obligation extérieure* ou *un langage plus recherché* ; l'auxiliaire **will** exprime *la volonté, l'intuition,* à toutes les pers.

2. **Holmes :** prononcez [houmz].

3. **where to :** ou **where do you go to** ; il faut garder la préposition **to** qui est rejetée, comme souvent en anglais après le verbe (**what are you looking for ?, where do you come from ?, what are you talking about ?**).

4. **I** représente le Dr Watson, fidèle ami de Sh. Holmes et narrateur fictif de ses aventures.

5. **Δto be mixed up in :** *être mêlé à* (une affaire) ; **to be mixed up with sb :** *être confondu avec qqn.*

6. **length** vient de **long**, **breadth** vient de **broad** ; m. à m. :

« Je crains, Watson, d'être obligé d'y aller ! déclara Holmes, alors que nous étions assis ensemble un matin, pour prendre notre petit déjeuner.

— Y aller ! Où ça ?

— A Dartmoor ; à King's Pyland. »

Je ne fus pas surpris. En effet, mon seul étonnement était qu'il n'eût pas encore été mêlé à cette extraordinaire affaire qui était le grand sujet de conversation à travers toute l'Angleterre. Pendant toute une journée, mon compagnon avait arpenté la pièce, le menton sur la poitrine, les sourcils froncés, bourrant et rebourrant sa pipe avec un tabac brun des plus forts, et complètement sourd à toute question ou remarque de ma part. Notre marchand de journaux nous avait fait parvenir les dernières éditions de chaque journal, Holmes n'avait fait qu'y jeter un coup d'œil avant de les lancer dans un coin. Cependant, tout silencieux qu'il était, je connaissais parfaitement le sujet sur lequel il méditait. Il n'y avait qu'un seul problème, aux yeux du public, qui pouvait mettre au défi ses facultés d'analyse, et c'étaient la disparition étrange du favori de la Wessex Cup et le meurtre tragique de son entraîneur. Quand donc il m'annonça soudain son intention de se rendre sur les lieux du drame, c'était exactement ce que j'avais à la fois attendu et espéré.

« Je serais très heureux d'y aller avec vous, dis-je, si je ne vous gênais pas.

— Mon cher Watson, vous me feriez une grande faveur en m'accompagnant.

à travers la longueur et la largeur de l'Angleterre.

7. **ramble :** errer à l'aventure, divaguer, parler d'une manière décousue ; **about** indique ici une idée de plusieurs directions à la fois (**to walk about :** marcher de-ci de-là).

8. **to knit :** tricoter ; **brows knitted :** sourcils froncés.

9. forme passive en angl. (souvent traduite à la forme active en fr.) pour les verbes **to glance over** et **to toss down** ; m. à m. : des journaux nous avaient été envoyés... pour n'être que regardés et jetés par terre...

10. **to brood over :** songer sombrement à qqch, ruminer une idée noire ; **to brood an egg :** couver un œuf.

11. **but one :** qu'un seul ; **all but him :** tous sauf lui.

12. **should** indique ici l'auxiliaire du conditionnel (peut être remplacé par **would**) ; le second **should**, forme de subjonctif, indique le caractère peu probable d'une hypothèse.

And I think that your time will not be misspent[1], for[2] there are points about this case which promise[3] to make it an absolutely unique one. We have, I think, just time to catch our train at Paddington, and I will go further into[4] the matter upon our journey. You would oblige me[5] by bringing[6] with you your very excellent field-glass."

And so it happened that an hour or so later I found myself in the corner of a first-class carriage, flying along, *en route* for Exeter, while Sherlock Holmes, with his sharp eager face framed[7] in his earflapped travelling cap[8], dipped rapidly into the bundle[9] of fresh papers which he had procured at Paddington. We had left Reading far behind us before he thrust[10] the last of them under the seat, and offered me his cigarcase.

"Were are going well," said he, looking out of the window and glancing at his watch. "Our rate[11] at present is fifty-three and a half miles an hour."

"I have not observed the quarter-mile posts[12]," said I.

"Nor have I[13]. But the telegraph posts upon this line are sixty yards[14] apart, and the calculation is a simple one. I presume that you have already looked into this matter of the murder of John Straker and the disappearance of Silver Blaze ?"

"I have seen what the *Telegraph* and the *Chronicle* have to say."

---

1. **to misspend (spent, spent) :** *dépenser mal à propos, mal utiliser* (temps, argent...). Le préfixe **mis** correspond à « *mal* » en fr. (**to misunderstand** : *mal comprendre*).

2. **for :** *car,* exprime *la raison* (presque comme **because**).

3. **promise :** ['prɔmis], *promettre* ; **to make a promise :** *faire une promesse,* **a promissing child** : *un enfant qui promet.*

4. **to go further into :** *étudier plus en profondeur, aller plus avant dans l'étude d'un problème* ; **far** : *loin,* a deux comparatifs, **farther** ou **further**.

5. **▲to oblige sb :** ou **to do a favour to sb** : *rendre service à qqn* ; mais **to be obliged to** : *être contraint de.*

6. **by** + gérondif : une des multiples façons de traduire *en* ; exprime *le moyen* (**he succeeded by working hard** : *il a réussi en travaillant dur*).

Et je pense que votre temps ne sera pas perdu, car il y a certains points dans cette affaire qui promettent d'en faire un cas absolument unique. Nous avons, je pense, juste le temps d'attraper notre train à Paddington, et j'irai plus avant dans l'étude du dossier pendant notre voyage. Vous me rendriez service en apportant avec vous vos excellentes jumelles de campagne. »

Et voilà comment il arriva qu'environ une heure plus tard je me retrouvai assis dans le coin d'un wagon de première classe, filant à toute allure vers Exeter, tandis que Sherlock Holmes — dont le visage aigu et ardent était encadré de sa casquette de voyage à oreillettes — plongeait rapidement dans le tas des derniers journaux qu'il s'était procurés à Paddington. Nous avions laissé Reading loin derrière nous quand il jeta le dernier d'entre eux sous le siège et me proposa sa boîte de cigares.

« Nous marchons bien, remarqua-t-il, regardant par la fenêtre et jetant des coups d'œil à sa montre. Notre vitesse actuelle est de 82 kilomètres à l'heure.

— Je n'ai pas vu de bornes kilométriques, observai-je.

— Moi non plus. Mais les poteaux télégraphiques sur cette ligne sont distants de 60 mètres, et le calcul est simple. Je suppose que vous avez examiné le problème du meurtre de John Straker et la disparition de Flamme d'argent.

— J'ai lu ce que le *Telegraph* et le *Chronicle* ont à en dire.

---

7. **framed** : *encadré* ; **framework** : *cadre, charpente, ossature.*

8. il s'agit de la célèbre casquette de Sherlock Holmes qui a des rabats ou oreillettes **(flaps).**

9. **bundle :** *paquet, ballot, baluchon* ; *liasse* (de papiers).

10. **to thrust (thrust, thrust) :** *pousser avec force* ; to thrust one's hands into one's pockets : *se fourrer les mains dans les poches.*

11. **rate :** *taux* (**birth rate** : *taux de natalité,* **bank rate** : *taux de la banque*) ; également *vitesse, allure pour les trains.*

12. bornes postées tous les 1/4 de mile (tous les 400 m).

13. **nor :** faisant suite à un verbe à la forme négative ou à la conjonction **neither,** se traduit par *ni, non plus.* Rappel des conjonctions alternatives, **either... or** : *ou bien... ou bien,* **neither... nor** : *ni... ni.* Ici **nor have I** (comme **nor am I, nor do I**), se traduit par *moi non plus.*

14. **a yard** correspond presqu'à *1 mètre* (0,914 m).

"It is one of those cases where the art of the reasoner should [1] be used rather [2] for the sifting [3] of details than for the acquiring of fresh evidence. The tragedy has been so [4] uncommon, so complete, and of such [5] personal importance to so many people that we are suffering from a plethora of surmise [6], conjecture, and hypothesis. The difficulty is to detach the framework of fact — of absolute, undeniable fact — from the embellishments of theorists and reporters. Then, having established ourselves upon [7] this sound basis, it is our duty to see what inferences may be drawn, and which are the special points upon which the whole mystery turns. On Tuesday evening I received telegrams, both [8] from Colonel Ross, the owner of the horse, and from Inspector Gregory, who is looking after [9] the case, inviting my cooperation."

"Tuesday evening !" I exclaimed. "And this is Thursday morning. Why did you not go down [10] yesterday ?"

"Because I made a blunder [11], my dear Watson — which is, I am afraid, a more common occurrence [12] than anyone would think who only knew me through your memoirs. The fact is that I could [13] not believe it possible that the most remarkable horse in England could long [14] remain concealed [15], especially in so [16] sparsely inhabited [17] a place as the north of Dartmoor. From hour to hour yesterday I expected [18] to hear that he had been found, and that his abductor was the murderer of John Straker.

---

1. **should** est employé ici pour exprimer *une notion de devoir* (au conditionnel), mais moins forte que **must** ; c'est plutôt *un conseil* (**you should go** : *vous devriez partir*).
2. **rather... than :** adverbe à valeur de comparatif, se construit donc avec **than** (*plutôt... que*).
3. **to sift :** *passer au tamis, au crible ;* **the sifting** est un nom verbal (forme en **-ing**), *le passage au crible*.
4. **so** + adj., se traduit par *si, tellement* (**he is so nice !**).Il peut ou non être suivi de **that** (**he is so nice that...**)
5. **such** + nom ou **such** + adj. + nom, adjectif exclamatif se traduit par *tel* ; **he showed such (noble) courage** : *il a montré un tel courage (un courage tellement noble !).*
6. **surmise** [sə:'maiz] : *conjecture, supposition.*
7. **upon :** même sens que **on** (parfois plus emphatique).

— C'est l'une de ces affaires où le talent de l'analyste devrait être utilisé plutôt à passer les détails au crible qu'à rechercher de nouvelles preuves. Le drame a été si peu banal, si total, et d'une importance si vitale pour tant de personnes que nous souffrons d'une pléthore de suppositions, de conjectures et d'hypothèses. La difficulté est de séparer les faits de base — des faits absolus et indéniables — des embellissements apportés par les théoriciens et les journalistes. Puis, nous étant établis sur cette base solide, notre tâche consistera à observer quelles conclusions peuvent être tirées, et quels sont les détails particuliers autour desquels tourne tout le mystère. Mardi soir, j'ai reçu des télégrammes à la fois du colonel Ross, le propriétaire du cheval, et de l'inspecteur Gregory, qui s'occupe de l'affaire, m'invitant à coopérer.

— Mardi soir ! m'exclamai-je. Et nous sommes jeudi matin. Pourquoi n'êtes-vous pas parti hier ?

— Parce que j'ai fait une erreur, mon cher Watson... ce qui, j'en ai peur, m'arrive plus souvent que ne le pourraient penser ceux qui me connaissent seulement par vos récits. Le fait est que je ne pouvais arriver à croire que le cheval le plus remarquable d'Angleterre puisse rester longtemps caché, spécialement dans un endroit aussi peu peuplé que le nord de Dartmoor. Hier, je m'attendais d'heure en heure à apprendre qu'il avait été retrouvé, et que son ravisseur était le meurtrier de John Straker.

---

8. **both** : *tous les deux, à la fois* (jamais précédé de **the**).
9. **to look after** : *s'occuper de* (qqn, qqch), *veiller à.*
10. **to go down** : *descendre* ou *aller,* quand la direction indique le sud (comme en fr., on dit *descendre dans le Midi*).
11. **blunder** : *gaffe, bévue, faux pas.*
12. **occurrence** : *événement ;* vient du verbe **to occur** : *avoir lieu, survenir, arriver.* Également, *venir à l'idée, à l'esprit* (**it occurs to me that** : *il me vient à l'idée que*).
13. **could** : prétérit de **can** (peut avoir un sens de conditionnel) ; **can** exprime *la puissance physique* ou *intellectuelle.*
14. ▲ **long** : (adj.) *long* ; **long** (adverbe) : *longtemps.*
15. **to conceal** : *cacher, dissimuler* (même sens que **to hide**).
16. **so (as)... as** : comparatif d'égalité, *aussi... que.*
17. ▲ **inhabited** : *habité* ; **uninhabited** : *inhabité.*
18. **to expect** : *attendre, s'attendre à un événement.*

15

When, however, another morning had come and I found that, beyond[1] the arrest of young Fitzroy Simpson, nothing had been done, I felt[2] that it was time for me to take action. Yet in some ways I feel that yesterday has not been wasted[3]."

"You have formed a theory, then ?"

"At least I have a grip[4] of the essential facts of the case. I shall[5] enumerate them to you, for nothing clears up a case[6] so much as stating it to another person, and I can hardly[7] expect your cooperation if I do not show you the position from which we start[8]."

I lay back[9] against the cushions, puffing[10] at my cigar, while Holmes, leaning forward, with his long thin forefinger checking off[11] the points upon the palm of his left hand, gave me a sketch of the events which had led to our journey.

"Silver Blaze", said he, "is from the Isonomy stock[12], and holds as brilliant a record as his famous ancestor. He is now in his fifth year, and has brought in turn each of the prizes of the turf to Colonel Ross, his fortunate owner. Up to the time of the catastrophe he was first favourite for the Wessex Cup, the betting[13] being three to one. He has always, however, been a prime favourite with the racing public, and has never yet disappointed[14] them, so that even at short odds[15] enormous sums of money have been laid upon[16] him.

---

1. **beyond** : ici préposition : *au-delà, par-delà, en dehors de*.
2. **to feel** : *sentir, ressentir, toucher* ; ici sens de *juger, penser, avoir l'impression que*.
3. **to waste** : *gaspiller, gâcher* (temps, argent).
4. **a grip** : *étreinte, prise* ; I have a grip of : *j'ai bien en tête (en main) une situation, un sujet*.
5. **I shall**, équivaut à un futur immédiat (**I am going to**).
6. **to clear up a case** (a matter) : *élucider un problème, un mystère, une affaire*.
7. **hardly** : (adverbe) *à peine, ne... guère*.
8. m. à m. : *à partir de laquelle nous partons*.
9. **▲to lie (lay, lain)** : *être couché, étendu* (**here lies** : *ci-gît*) ; **to lie back** : *se laisser retomber dans un fauteuil*.
10. **to puff** : *souffler, fumer par petites bouffées* ; **to puff**

16

Quand cependant un autre jour fut passé et que je découvris qu'en dehors de l'arrestation du jeune Fitzroy Simpson rien n'avait été fait, j'ai pensé qu'il était temps pour moi d'entrer en action. Pourtant, d'une certaine manière, j'ai l'impression que la journée d'hier n'a pas été perdue.

— Vous avez élaboré une théorie, alors ?

— Du moins je possède bien les faits essentiels de l'affaire. Je vais vous les énumérer, car rien ne clarifie autant un problème que de l'exposer à une autre personne, et je ne peux guère espérer votre coopération si je ne vous décris pas la situation telle qu'elle se présente à nous au départ. »

Je me calai contre les coussins, tirant sur mon cigare, pendant qu'Holmes, se penchant en avant, son long index maigre énumérant les faits sur la paume de sa main gauche, me donna une esquisse des événements qui avaient abouti à notre voyage.

« Flamme d'argent descend d'Isonomy, déclara-t-il, et il détient un palmarès aussi brillant que son célèbre ancêtre. Il est à présent dans sa cinquième année, et il a rapporté tour à tour au colonel Ross, son heureux propriétaire, chacun des prix du turf. Jusqu'au moment de la catastrophe, il était le favori pour la Wessex Cup, les paris étant à trois contre un. Il a d'ailleurs toujours été le favori des turfistes, et il ne les a jamais encore déçus ; de sorte que, même à de faibles cotes, d'énormes sommes d'argent ont été jouées sur lui.

---

at one's pipe : *tirer sur sa pipe* ; a puff : *une bouffée.*
11. to check : *vérifier, contrôler, faire échec* (check ! *échec au roi !*) ; to check off : *pointer, cocher des noms sur une liste, scander des faits.*
12. stock : *a ici le sens de* breed : *race, lignée* ; m. à m. : *est un descendant d'*Isonomy, *cheval célèbre dans les années 1880 ayant gagné de nombreux prix.*
13. the betting(s) : *les paris, du verbe* to bet (bet, bet) ; *parier* ; you bet ! *tu parles, pour sûr !*
14. ▲ to disappoint : *décevoir* ; to deceive : *tromper*
15. short odds : *faible cote* ; long odds : *forte cote.*
16. ▲to lay (laid, laid) : *coucher, étendre, poser* ; to lay some money on a horse : *miser, parier sur un cheval.*

It is obvious, therefore, that there were many people who had the strongest interest in [1] preventing Silver Blaze from [2] being there at the fall of the flag next Tuesday.

"This fact was, of course, appreciated at King's Pyland, where the Colonel's training stable is situated. Every precaution was taken to guard the favourite. The trainer [3], John Straker, is a retired jockey, who rode in [4] Colonel Ross's colours before he became too heavy for the weighing chair. He has served [5] the Colonel for five years as jockey, and for seven as trainer, and has always shown himself to be a zealous and honest servant. Under him were three lads, for the establishment was a small one, containing only four horses in all. One of these lads sat up each night in the stable, while the others slept in the loft [6]. All three bore [7] excellent characters. John Straker, who is a married man, lives in a small villa about two hundred yards from the stables. He has no children, keeps one maid-servant, and is comfortably off [8]. The country round is very lonely, but about half a mile to the north there is a small cluster [9] of villas which have been built by a Tavistock contractor for the use of invalids and others who may [10] wish to enjoy the pure Dartmoor air. Tavistock itself lies two miles to the west, while across the moor, about two miles distant, is the larger training establishment of Capleton, which belongs to Lord Blackwater, and is managed [11] by Silas Brown.

---

1. **to have interest in** + nom ou verbe au gérondif : *avoir intérêt à ;* to be interested in sth (or doing sth) : *s'intéresser à.*

2. **to prevent sb from doing sth :** *empêcher qqn de faire qqch.* Noter l'usage de from.

3. **trainer :** *entraîneur ;* s'emploie comme en fr. pour celui qui entraîne athlètes, équipes sportives ou chevaux de course. To train : *instruire, dresser, (s')entraîner.*

4. **to ride (rode, ridden) :** *monter* (à cheval), mais aussi *accomplir un trajet en auto, en train, en autobus, à bicyclette...* In veut dire *en portant une certaine tenue.*

5. **△present perfect + for** pour désigner une période de temps passée (ici, 5 ans) mais qui s'étend jusqu'au présent. John Straker est encore au service du colonel.

Il est par conséquent évident qu'il y avait beaucoup de gens qui avaient le plus grand intérêt à empêcher Flamme d'argent d'être présent mardi prochain au baisser du drapeau.

« Ce fait était bien sûr connu à King's Pyland, où se trouve située l'écurie d'entraînement du colonel. Toutes les précautions étaient prises pour protéger le favori. L'entraîneur, John Straker, est un ancien jockey qui porta les couleurs du colonel avant de devenir trop lourd pour la balance. Il a servi le colonel pendant cinq ans comme jockey et pendant sept comme entraîneur, et il s'est toujours montré un serviteur honnête et zélé. Sous ses ordres il y avait trois lads, car l'établissement est petit et ne contient que quatre chevaux en tout. L'un de ces lads restait veiller chaque nuit dans l'écurie pendant que les autres dormaient dans le grenier. Tous les trois jouissaient d'une bonne réputation. John Straker, qui est marié, habite une petite villa à environ deux cents mètres des écuries. Il n'a pas d'enfants, emploie une bonne, et vit dans une confortable aisance. Le coin est très isolé, mais à environ huit cents mètres au nord se trouve un petit groupe de villas qui ont été construites par un entrepreneur de Tavistock à l'usage des malades ou autres qui veulent profiter de l'air pur de Dartmoor. Tavistock même est situé à trois kilomètres à l'ouest, alors que de l'autre côté de la lande, à une distance d'environ trois kilomètres aussi, se trouve le centre d'entraînement de Capleton, beaucoup plus grand en taille, qui appartient à Lord Blackwater et qui est dirigé par Silas Brown.

---

6. **loft :** *le grenier* ou *la soupente* ; désigne aujourd'hui un ancien local professionnel (entrepôt, usine ou atelier) transformé en logement.

7. **to bear a good character :** *jouir d'une bonne réputation ;* **to bear (bore, borne) :** *porter, supporter.*

8. **to be comfortably off** ou **well off :** *être à l'aise financièrement.* **To be badly off or poorly off :** *être dans la gêne.*

9. **a cluster :** *un groupe ;* **to cluster around someone or sth :** *se rassembler autour de qqn ou qqch.*

10. **may :** verbe défectif, exprime ici *la notion d'éventualité ;* **maybe :** *peut-être.*

11. **to manage** a ici le sens de *gérer, diriger ;* il signifie également *parvenir à, trouver le moyen de* (**to manage to do sth :** *arriver à faire qqch*).

In every other direction the moor is a complete wilderness [1], inhabited only by a few roaming [2] gipsies [3]. Such was the general situation last Monday night, when the catastrophe occurred.

"On that evening the horses had been exercised and watered [4] as usual, and the stables were locked up at nine o'clock. Two of the lads walked up to the trainer's house, where they had supper in the kitchen, while the third, Ned Hunter, remained on guard. At a few minutes after nine the maid, Edith Baxter, carried down to the stables his supper, which consisted of a dish of curried mutton [5]. She took no liquid, as there was a water-tap in the stables, and it was the rule that the lad on duty [6] should drink nothing else. The maid carried a lantern with her, as it was very dark, and the path ran across the open [7] moor.

"Edith Baxter was within [8] thirty yards of the stables when a man appeared out of the darkness and called to [9] her to stop. As he stepped into the circle of yellow light thrown by the lantern she saw that he was a person of gentlemanly bearing [10], dressed in a grey suit of tweed with a cloth [11] cap. He wore gaiters, and carried a heavy stick with a knob to it. She was most [12] impressed, however, by the extreme pallor of his face and by the nervousness of his manner. His age, she thought, would be rather over thirty than under it.

---

1. **⚠ a wilderness :** *un lieu sauvage, laissé à l'abandon.* Prononcer ['wildənis], mais **wild**, [waild] : *sauvage.*

2. **to roam :** *errer, vagabonder, rôder.*

3. **gipsy** (ou **gypsy**) : *bohémien* ; vient du mot **Egyptian.**

4. **to water,** signifie à la fois *arroser* (des plantes), *donner à boire* (aux bêtes), et *alimenter en eau* (une machine). La traduction exacte de la forme passive serait ici, *on les avait fait boire, ils avaient été abreuvés.*

5. **⚠ curried mutton :** *mouton au curry* ; *le mouton vivant se dit* **sheep** ; *de même le boeuf vivant se dit* **ox**, *la viande de boeuf*, **beef** ; *le cochon vivant* **pig**, *la viande*, **pork** ; *le veau vivant*, **calf**, *la viande*, **veal.**

6. **to be on duty :** *être de garde, de service.*

7. **open :** ici dans le sens d'*immense, sans limite,* comme dans **open air** : *en plein air* ; **open sea** : *en pleine mer.*

Dans toutes les autres directions la lande est une étendue complètement sauvage, peuplée seulement de quelques bohémiens nomades. Telle était la situation générale lundi soir, quand la catastrophe arriva.

« Ce soir-là, les chevaux avaient été entraînés et ils étaient allés boire comme d'habitude, puis les écuries avaient été fermées à clef à neuf heures. Deux des lads montèrent à la maison de l'entraîneur où ils prenaient leur dîner à la cuisine, pendant que le troisième, Ned Hunter, restait de garde. Quelques minutes après neuf heures la bonne, Edith Baxter, lui descendit à l'écurie son dîner qui consistait en un plat de mouton·au curry. Elle n'apporta aucune boisson, car il y avait un robinet d'eau dans les écuries et la règle voulait que le lad de service ne boive rien d'autre. La bonne portait à la main une lanterne car il faisait très sombre et le sentier traversait la lande déserte.

« Edith Baxter était à moins de trente mètres des écuries quand un homme surgit de l'ombre et lui cria de s'arrêter. Quand il pénétra dans le cercle de lumière jaune projeté par la lanterne, elle vit que c'était un homme d'allure tout à fait convenable, vêtu d'un costume de tweed gris et coiffé d'un chapeau mou. Il portait des guêtres et tenait à la main une lourde canne au pommeau protubérant. Toutefois, elle fut très frappée par l'extrême pâleur de son visage et par son comportement trahissant la nervosité. D'après elle, il devait avoir environ trente ans, plutôt plus que moins.

---

8. **within** : *à l'intérieur de limites,* dans le temps *ou* dans l'espace. **Within 30 yards** : *à moins de 30 mètres ;* **within 24 hours,** *dans les 24 heures.*

9. ▲**to call** : *appeler ;* to call to someone to do sth : *crier à qqn de faire qqch.* Mais **to call on sb** : *rendre visite à qqn.*

10. **of gentlemanly bearind** : *qui a l'air d'un « monsieur » ;* formule un peu désuète. On dirait aujourd'hui, **gentleman like** *(personne comme il faut, distinguée, bien élevée).*

11. ▲**cloth** se prononce [klɔːθ]*(tissu de laine ou de drap) ;* mais **clothes** *(les vêtements)* se prononce [klouðz].

12. **most** (superlatif de **much**) est ici un adverbe qui intensifie le sens de l'adjectif ; **most displeased** : *fort mécontent,* **most strange** : *des plus étranges.*

" 'Can you tell me where I am ?' he asked. 'I had almost made up my mind [1] to sleep on the moor, when I saw the light of your lantern.'

" 'You are close to the King's Pyland training stables,' she said.

" 'Oh, indeed [2] ! What a stroke of luck [3] !' he cried. 'I understand that a stable boy sleeps there alone every night. Perhaps that is his supper which you are carrying to him. Now I am sure that you would not be too proud to earn the price of a new dress, would you [4] ?' He took a piece of white paper folded up out of [5] his waistcoat pocket. 'See that [6] the boy has this tonight, and you shall have the prettiest frock that money can buy [7].'

"She was frightened by the earnestness of his manner, and ran past him to the window through which she was accustomed to hand [8] the meals. It was already open, and Hunter was seated at the small table inside. She had begun to tell him of what [9] had happened, when the stranger came up again [10].

" 'Good evening,' said he, looking through the window, 'I wanted to have a word [11] with you.' The girl has sworn that as he spoke she noticed the corner of the little paper packet protruding from his closed hand.

" 'What business have you here ?' asked the lad.

" 'It's business that may put something into your pocket,' said the other.

---

1. **to make up one's mind** : *se décider,* à rapprocher de to **decide** *(décider).*

2. **indeed** : *effectivement ;* **yes indeed** : *mais oui, certainement ;* **no indeed** : *non, vraiment pas.*

3. **a stroke of luck** : *un coup de chance ;* **stroke** signifie effectivement un coup, mais on dit plutôt aujourd'hui **a piece of luck.**

4. △**would you ?** le français *n'est-ce-pas ?* se rend en anglais par un rappel du verbe (de l'auxiliaire ou du défectif). Si la principale est sans négation, le rappel (ou "tag") sera interro-négatif (ex. **he is ill, isn't he ? she will come, won't she ?**). Si la principale est négative, le rappel sera interrogatif (ex. **he is not ill, is he ? she will not come, will she ! she can't come, can she ?...**).

« "Pouvez-vous me dire où je suis ? demanda-t-il. Je m'étais presque décidé à dormir sur la lande quand j'ai vu la lumière de votre lanterne.

« — Vous êtes à côté des écuries d'entraînement de King's Pyland, lui dit-elle.

« — Oh, vraiment ! Quelle chance ! s'écria-t-il. J'ai cru comprendre qu'un garçon d'écurie dort là tout seul toutes les nuits. Peut-être est-ce là son dîner que vous êtes en train de lui porter ? Voyons, je suis sûr que vous n'auriez pas la fierté de refuser de quoi vous acheter une nouvelle robe, n'est-ce-pas ?..." Il sortit de la poche de son gilet un morceau de papier blanc plié et dit :

« "Occupez-vous de remettre ceci au lad ce soir, et vous gagnerez la plus jolie robe qu'on puisse trouver."

« Elle fut effrayée par son air passionné, et elle s'en fut en courant jusqu'à la fenêtre par laquelle elle avait l'habitude de passer les repas. Celle-ci était déjà ouverte, et Hunter était assis à l'intérieur à sa petite table. Elle avait commencé à lui raconter ce qui lui était arrivé, quand l'étranger survint à nouveau.

« "Bonsoir ! dit-il en regardant par la fenêtre, je voulais vous dire un mot."

« La bonne a juré que pendant qu'il parlait, elle avait remarqué le coin du petit bout de papier qui dépassait de sa main fermée.

« "Qu'est-ce qui vous amène ici ? lui demanda le lad.

« — C'est une affaire qui pourrait bien vous remplir les poches, lui répondit l'autre.

---

5. **folded up** se rapporte à *papier (le papier était plié)*, tandis que **out of** se rapporte à **he took** placé au début de la phrase (m. à m. : *hors de sa poche*).

6. **to see that** : *veiller à ce que, se charger de.*

7. m. à m. : *que l'argent puisse acheter.*

8. **to hand** : *donner avec la main, passer, remettre.*

9. **to tell him of what** : *lui raconter ce que...* Forme désuète, on dirait aujourd'hui, **to tell him what...**

10. **to come up again** : *réapparaître.* **Again** (de nouveau), se traduit souvent par le préfixe « *re* » lorsqu'il suit un verbe en anglais (**to see again** : *revoir ;* **to do again** : *refaire ;* **to begin again** : *recommencer*).

11. **to have a word** : *dire un mot ;* **may I have a word with you** ? *puis-je vous parler un instant ?*

'You've [1] two horses in [2] for the Wessex Cup — Silver Blaze and Bayard. Let me have the straight tip [3], and you won't be a loser. Is it a fact that at the weights Bayard could give the other a hundred yards in five furlongs [4], and that the stable [5] have put their money on him ?'

" 'So you're one of those damned [6] touts [7],' cried the lad. 'I'll show you how we serve [8] them in King's Pyland.' He sprang up and rushed across the stable to unloose the dog. The girl fled away to the house, but as she ran she looked back, and saw the stranger [9] was leaning through the window. A minute later, however, when Hunter rushed out with the hound he was gone, and though the lad ran all round the buildings he failed to find any trace of him."

"One moment !" I asked. "Did the stable boy, when he ran out with the dog, leave the door unlocked [10] behind him ?"

"Excellent, Watson ; excellent !" murmured my companion. "The importance of the point struck me so forcibly that I sent a special wire [11] to Dartmoor yesterday to clear up the matter. The boy locked the door before he left it. The window, I may add, was not large enough for a man to go through.

"Hunter waited until his fellow grooms [12] had returned, when he sent a message up to the trainer and told him what had occurred. Straker was excited at hearing the account, although he does not seem to have quite realized its true significance.

---

1. **you've** = you have. En anglais moderne, on dirait plutôt **you've got** (négation, **you haven't got**) ; attention, quand **have** est verbe, sa forme négative est **don't have**.
2. **in for the Wessex cup :** *ces chevaux sont inscrits pour cette course.*
3. **tip :** ici sens de *tuyau* (au jeu, en bourse) ; **a straight tip :** *un bon tuyau.* Signifie également *pourboire* (**tips included :** *service compris*).
4. **furlong** ['fə:lɔŋ], huitième partie du mile (201 mètres).
5. **the stable :** singulier pour un pluriel global : *le personnel des écuries.*
6. **damned :** juron, se traduit par *damné, sacré, maudit.*
7. **tout** [taut] : *individu qui suit discrètement l'entraînement*

Vous avez là deux chevaux pour la Wessex Cup — Flamme d'argent et Bayard. Donnez-moi le bon tuyau, et vous ne serez pas perdant. Est-ce vrai qu'au poids Bayard pourrait prendre 100 mètres à l'autre sur 1 000 mètres et qu'aux écuries, vous avez misé votre argent sur lui ?

« — Ah, vous êtes un de ces maudits espions ! s'écria le lad. Vous allez voir comment on les traite ici à King's Pyland." Il se leva d'un bond et traversa l'écurie à toute vitesse pour aller détacher le chien. La bonne se précipita vers la maison, mais pendant qu'elle courait, elle se retourna et vit que l'étranger était penché par la fenêtre. Pourtant, quand une minute plus tard Hunter s'élança dehors avec le chien, il était parti, et bien que le lad fît le tour des bâtiments, il ne réussit pas à le retrouver. »

« Un moment ! demandai-je. Est-ce que le garçon d'écurie, quand il est sorti en courant avec le chien, a laissé la porte ouverte derrière lui ?

— Excellent, Watson, excellent ! murmura mon compagnon. L'importance de ce point m'a tellement frappé que j'ai envoyé un câble spécial à Dartmoor hier pour avoir la réponse. Le garçon a fermé la porte à clé avant de partir. Et je peux même ajouter que la fenêtre n'était pas assez large pour qu'un homme puisse passer à travers.

« Hunter attendit le retour de ses camarades pour envoyer un message à l'entraîneur et lui raconter ce qui s'était passé. Le compte rendu de l'incident suscita l'intérêt de Straker, bien qu'il ne semblât pas avoir tout à fait réalisé sa véritable importance.

---

des chevaux et est à l'affût des tuyaux, d'où *espion.*
8. **to serve** : *servir,* mais aussi *traiter* (it **serves you right** : *vous n'avez que ce que vous méritez, cela vous apprendra !).*
9. ▲**the stranger** : *l'étranger, celui qu'on ne connaît pas.* Mais **the foreigner** : *l'étranger d'une autre nationalité.* **The Foreign Office** : *le ministère des Affaires étrangères.*
10. **unlocked** : *déverrouillé, ouvert.* Le préfixe anglais **un** a souvent le sens du préfixe français « dé » (**to unloose** : *détacher ;* **to unload** : *décharger ;* **to unmask** : *démasquer*).
11. **wire** : *fil de fer,* d'où *câble* (message), *télégramme.*
12. **fellow groom** : **the groom** est *le valet qui panse un cheval, le palefrenier.* **The fellow** *(le camarade)* est souvent employé dans les mots composés ; **fellow student** : *condisciple ;* **fellow citizens** : *concitoyens...*).

It left him, however, vaguely uneasy, and Mrs Straker, waking at one in the morning [1], found that he was dressing. In reply to her inquiries, he said that he could not sleep on account of his anxiety [2] about the horses, and that he intended to walk down to the stables to see that all was well. She begged him to remain at home, as she could hear the rain pattering against the windows, but in spite of her entreaties he pulled on his large macintosh [3] and left the house.

"Mrs Straker awoke [4] at seven in the morning, to find that her husband had not yet returned [5]. She dressed herself hastily, called the maid, and set off for the stables. The door was open ; inside, huddled together upon a chair, Hunter was sunk in a state of absolute stupor, the favourite's stall was empty, and there were no sign of his trainer.

"The two lads who slept in the chaff-cutting loft [6] above the harness-room were quickly roused. They had heard nothing [7] during the night, for they are both sound sleepers [8]. Hunter was obviously under the influence of some powerful drug ; and, as no sense could be got out of him, he was left to sleep it off [9] while the two lads and the two women ran out in search of the absentees. They still [10] had hopes that the trainer had for some reason taken out the horse for early [11] exercise ;

---

1. **at one in the morning** = at one o'clock in the morning (ou **one a.m.**) ; **one in the afternoon** (ou **one p.m.**).
2. **anxiety** [æŋz'aiəti] : *inquiétude, angoisse*. Mais **anxious** se prononce ['æŋ[k][ʃ]əs].
3. **mac(k)intosh :** *manteau de pluie, grand imperméable*, du nom de l'Écossais Charles Mackintosh (1766-1843) qui inventa le tissu imperméable en 1823.
4. **to awake (awoke, awoke** ou **awaked)** : *se réveiller*, mais aussi *éveiller* (les soupçons, les remords...).
5. **had not returned :** *n'était pas encore rentré* (**not yet** se construit avec le **plu perfect** car le reste de la phrase est au prétérit : Mrs Straker awoke).
6. **chaff :** *paille d'avoine, balle de paille ;* **chaff-cutting loft :** *grenier où l'on hache la paille* (pour les chevaux).
7. **they had heard nothing :** **nothing** peut être remplacé

Cela le laissa cependant vaguement mal à l'aise, et Mrs Straker, se réveillant à une heure du matin, le trouva en train de s'habiller. En réponse à ses questions, il lui avoua qu'il ne pouvait pas dormir à cause de son anxiété au sujet des chevaux et qu'il avait l'intention de descendre aux écuries pour aller voir si tout allait bien. Elle le supplia de rester à la maison car elle pouvait entendre le crépitement de la pluie contre les fenêtres ; mais en dépit de ses prières, il enfila son grand imperméable et quitta la maison.

« Mrs Straker se réveilla à sept heures du matin et découvrit que son mari n'était pas encore rentré. Elle s'habilla en hâte, appela la bonne et courut vers les écuries. La porte était ouverte ; à l'intérieur, tout recroquevillé sur une chaise, Hunter était plongé dans un état de stupeur absolue, la stalle du favori était vide et il n'y avait aucun signe de son entraîneur.

« Les deux lads qui dormaient dans le grenier à paille au-dessus de la sellerie furent rapidement secoués. Ils n'avaient rien entendu pendant la nuit, car ils ont tous deux le sommeil lourd. Il était évident qu'Hunter était sous l'influence de quelque drogue puissante ; et comme on ne pouvait rien tirer de lui, on le laissa dormir pendant que les deux lads et les deux femmes sortaient en courant à la recherche des absents. Ils avaient encore l'espoir que l'entraîneur ait pour une quelconque raison sorti le cheval pour un entraînement matinal ;

---

par **not anything** avec le verbe à la forme négative, et il serait plus courant de dire **they hadn't heard anything.**

8. **a sound sleeper :** *celui qui dort à poings fermés.* **To be sound asleep :** *être profondément endormi.*

9. **to sleep off :** *faire passer qqch en dormant ;* ici Hunter doit dormir jusqu'à ce que les effets de la drogue soient passés (**to sleep off a headache :** *dormir pour faire passer un mal de tête ;* **off** donne l'idée de partir).

10. **still** en milieu de phrase signifie *encore,* mais en début de phrase, il a le sens de *cependant* (comme **yet**).

11. **early :** adjectif, signifie *qui appartient au commencement* du jour, de l'année, de la vie ; **early morning :** *de bon matin ;* **at an early age :** *dans la prime enfance.* Mais **early,** adverbe, signifie *de bonne heure, tôt.*

But on ascending the knoll[1] near the house, from which all the neighbouring moors were visible, they not only could see no signs of the favourite, but they perceived something which warned them that they were in the presence of a tragedy.

"About a quarter of a mile[2] from the stables, John Straker's overcoat was flapping from a furze bush. Immediately beyond there was a bowl-shaped[3] depression in the moor, and at the bottom of this was found the dead body[4] of the unfortunate trainer. His head had been shattered[5] by a savage blow from[6] some heavy weapon[7], and he was wounded in the thigh, where there was a long, clean cut, inflicted evidently by some very sharp instrument. It was clear, however, that Straker had defended himself vigorously against his assailants, for in his right hand he held a small knife, which was clotted with blood[8] up to the handle, while in his left he grasped a red and black silk cravat, which was recognized by the maid as having been worn on the preceding evening by the stranger who had visited[9] the stables.

"Hunter, on recovering[10] from his stupor, was also quite positive as to the ownership[11] of the cravat. He was equally certain that the same stranger had, while standing[12] at the window, drugged his curried mutton, and so deprived[13] the stables of their watchman.

---

1. **knoll :** *monticule, tertre ;* se dit aussi **hillock** (de **hill :** *la colline*).

2. **a quarter of a mile :** le mile anglais = 1609,31 mètres, donc *1/4 de mile* = environ 400 mètres. Mais *le mille marin international* (**international nautical mile**) = 1852 mètres.

3. **bowl shaped :** adj. composé de **bowl :** *cuvette* et **shaped :** *en forme de ;* (**egg shaped :** *en forme d'œuf*).

4. m. à m. : *le cadavre fut découvert ;* la forme passive anglaise se traduit souvent par l'impersonnel « on » en fr.

5. m. à m. : *sa tête avait été fracassée ;* mais ici encore la forme passive serait lourde en fr., d'où la traduction *il avait eu la tête fracassée* (par qqn).

6. **from :** *venant de ;* comme il s'agit d'un coup, on peut traduire « *porté par* ».

Mais en escaladant le monticule près de la maison, d'où toute la lande avoisinante était visible, non seulement ils ne purent voir aucun signe du favori, mais ils aperçurent quelque chose qui les avertit qu'ils étaient en présence d'une tragédie.

« A environ quatre cents mètres des écuries, le grand manteau de John Straker claquait au vent sur un buisson d'ajoncs. Juste derrière se trouvait une dépression dans la lande en forme de cuvette ; c'est au fond que l'on découvrit le cadavre du malheureux entraîneur. Il avait eu la tête fracassée par un coup terrible, porté sans doute par une arme lourde, et il était blessé à la cuisse ; c'était une coupure longue et nette, infligée certainement par quelque instrument très tranchant. Il était clair cependant que Straker s'était défendu vigoureusement contre ses assaillants, car dans sa main droite il tenait un petit couteau, tout taché de sang séché jusqu'au manche, tandis que dans la gauche il serrait une cravate de soie rouge et noire ; celle-ci fut reconnue par la bonne comme ayant été portée la veille au soir par l'étranger qui était venu aux écuries.

« Hunter, en retrouvant ses esprits, fut tout aussi affirmatif quant à l'appartenance de la cravate. Il était également certain que le même étranger avait drogué son mouton au curry pendant qu'il se tenait à la fenêtre, et qu'ainsi il avait privé les écuries de leur gardien.

---

7. **some heavy weapon :** *une arme lourde quelconque,* que l'on ne peut définir, d'où le français « *sans doute* » après le verbe, qui exprime une idée d'imprécision.
8. **clotted with blood :** *collé avec du sang coagulé ;* **the clot :** *le caillot.*
9. **to visit :** *rendre visite,* mais aussi *venir voir, venir.*
10. **to recover :** *guérir, se rétablir ;* **to recover from an illness :** *se remettre d'une maladie.*
11. **ownership :** *appartenance ;* nom abstrait formé à partir du nom **owner :** *le possesseur, le propriétaire.* Les exemples sont très nombreux, **champion :** *le champion ;* **championship :** *le championnat...*
12. **while standing :** construction plus concise que **while he was standing :** *pendant qu'il se tenait (était) debout...*
13. **to deprive of :** *priver de, déposséder, destituer.*

"As to[1] the missing horse, there were abundant proofs in the mud which lay at the bottom of the fatal hollow that he had been there at the time of[2] the struggle. But from that morning he has disappeared[3] ; and although a large reward has been offered, and all the gipsies of Dartmoor are on the alert, no news has come of him. Finally an analysis has shown that the remains of his supper, left by the stable lad, contain an appreciable quantity of powdered[4] opium, while the people of the house partook of the same dish on the same night without any ill-effect[5].

"Those are the main facts of the case stripped[6] of all surmise and stated as badly as possible. I shall now recapitulate what the police have[7] done with the matter.

"Inspector Gregory, to whom the case has been committed[8], is an extremely competent[9] officer. Were he but gifted[10] with imagination he might rise to great heights in his profession. On his arrival he promptly found and arrested the man upon whom suspicion naturally rested. There was little difficulty in finding him, for he was thoroughly well known in the neighbourhood[11]. His name, it appears, was Fitzroy Simpson. He was a man of excellent birth and education, who had squandered a fortune upon the turf and who lived now by doing a little quiet and genteel bookmaking in the sporting clubs of London.

---

1. **as to, as for** : *quant à.*
2. **at the time of** : *au moment de, à l'époque de.*
3. **he has disappeared** : emploi du **present perfect** pour une action commencée dans le passé et qui dure encore ; le cheval a disparu depuis ce matin-là et n'a toujours pas été retrouvé.
4. **powdered** : *en poudre.* Adjectif dérivé du verbe **to powder** : *saupoudrer.* **Powdered milk** : *lait en poudre ;* mais *sucre en poudre* se dit **castor sugar.**
5. **ill** : *malade, mauvais ;* **illness** : *maladie.* Ill sert à former de nombreux noms composés : ill-**nature** : *mauvais caractère ;* ill-**feeling** : *ressentiment ;* ou des adjectifs composés : ill-**bred** : *mal élevé,* ill-**treated** : *maltraité.*
6. **to strip** : *mettre à nu, dépouiller (enlever ses vêtements).*

« Quant au cheval manquant, il y avait d'abondantes preuves dans la boue qui garnissait le fond de la cuvette fatale qu'il était présent au moment de la lutte. Mais depuis ce matin-là, il a disparu ; et bien qu'une grosse récompense ait été offerte, et que tous les bohémiens de Dartmoor soient en alerte, aucune nouvelle de lui n'est arrivée. Pour clore le tout, une analyse a révélé que les restes du dîner que le lad a laissés contenaient une quantité appréciable d'opium en poudre, alors que les gens de la maison avaient mangé le même plat, le même soir, sans en avoir subi les néfastes effets.

« Voilà les principaux éléments de l'affaire, dépouillés de toute supposition et exposés aussi sommairement que possible. Je vais maintenant vous récapituler ce que la police a fait en la matière.

« L'inspecteur Gregory, à qui l'enquête a été confiée, est un fonctionnaire extrêmement compétent. Si seulement il était doué d'imagination, il pourrait s'élever très haut dans sa profession. Dès son arrivée il trouva vite l'homme sur qui se portaient naturellement les soupçons, et il l'arrêta. Ce ne fut pas difficile de le trouver car il était très bien connu dans tout le pays. Il s'appelle, semble-t-il, Fitzroy Simpson. C'est un homme bien né, qui a reçu une excellente éducation mais qui a dissipé sa fortune aux courses et qui vit maintenant d'un petit commerce de bookmaking discret et de bon ton dans les clubs sportifs de Londres.

---

7. **the police have :** police, nom sing. à sens collectif, peut être suivi d'un verbe au sing. ou au pl. ; c'est aussi le cas pour **family, crowd** (la foule), **party, army, parliament...** Le sing. s'emploie généralement quand on considère le groupe comme un tout, le pl. quand on considère les membres du groupe ; on peut dire également **the United States (the U.S.A.) is** ou **are.**

8. **to commit :** commettre, confier, engager ; **to commit oneself :** se compromettre, s'engager à.

9. △ prononcer ['kɔmpitənt], mais **to compete** [kəm'piːt].

10. **were he gifted :** tournure littéraire remplaçant **if he were gifted** (sens de doté de, doué de) avec inversion de l'auxiliaire et du sujet **(should it rain, had I known...).**

11. **neighbourhood :** le voisinage ; **neighbour :** le voisin.

An examination of his betting-book shows that bets to the amount of five thousand pounds had been registered by him against the favourite.

"On being arrested [1] he volunteered the statement that he had come down to Dartmoor in the hope of getting some information about the King's Pyland horses, and also about Desborough, the second favourite, which was in the charge of Silas Brown, at the Capleton stables. He did not attempt to deny that he had acted as described upon the evening before, but declared that he had no sinister designs, and had simply wished to obtain first-hand [2] information. When confronted with the cravat [3] he turned very pale, and was utterly unable to account for its presence in the hand of the murdered man. His wet clothing showed that he had been out in the storm of the night before, and his stick, which was a Penang lawyer [4], weighted [5] with lead, was just such a weapon [6] as might, by repeated blows, have inflicted [7] the terrible injuries [8] to which the trainer had succumbed.

"On the other hand [9], there was no wound upon his person, while the state of Straker's knife would show that one, at least, of his assailants must [10] bear his mark upon him. There you have it all in a nutshell [11], Watson, and if you can give me any [12] light I shall be infinitely obliged to you."

I had listened with the greatest interest to the statement which Holmes, with characteristic clearness, had laid before me.

---

1. **on being arrested** : *lorsqu'on l'arrêta, au moment de son arrestation.* **On** (préposition) + nom ou verbe en -ing, introduit des expressions de temps ; **on sunday** : *le dimanche* ; **on entering the room** : *au moment où j'entrai dans la pièce.*
2. **first hand** : *de première main* ; **second hand** : *d'occasion.*
3. **cravat** : *cravate* (désuet) ; on dirait aujourd'hui **tie**.
4. **Penang lawyer** : *canne de palmier à épines avec laquelle, dit-on, se réglaient les différends à Penang, île de Malaisie.*
5. **Δ to weight** [weit] : *lester, plomber* ; ne pas confondre avec **to weigh** [wei] : *peser* ; mais **weight** : *le poids.*
6. **such a weapon as** : m. à m. : *une arme telle que...*

Un examen de son livre de comptes révèle qu'il avait enregistré des paris d'un montant allant jusqu'à cinq mille livres contre le favori.

« Au moment de son arrestation il déclara spontanément qu'il était descendu à Dartmoor dans l'espoir d'obtenir quelques renseignements sur les chevaux de King's Pyland, et aussi sur Desborough, le favori numéro deux dont Silas Brown s'occupait aux écuries de Capleton. Il ne fit aucune tentative pour nier qu'il avait agi comme je vous l'ai indiqué le soir d'avant, mais il déclara qu'il n'avait aucun funeste dessein, et qu'il avait simplement cherché à obtenir des renseignements de première main. Quand il fut confronté avec la cravate, il devint très pâle et il fut totalement incapable d'expliquer sa présence dans la main de la victime. Ses vêtements humides prouvaient qu'il s'était trouvé dehors sous la pluie la nuit précédente, quant à sa canne — qui était du type canne de Penang —, lestée de plomb, c'était exactement le genre d'arme qui, par des coups répétés, aurait pu infliger les terribles blessures auxquelles l'entraîneur avait succombé.

« D'un autre côté, il ne portait sur lui aucune trace de blessure, alors que l'état du couteau de Straker impliquait que l'un de ses agresseurs au moins devait en porter la marque sur lui. Voilà, vous avez là le résumé de toute l'histoire, Watson, et si vous pouvez m'aider un peu de vos lumières, je vous en serai infiniment reconnaissant. »

J'avais écouté, avec le plus grand intérêt, le compte rendu de l'histoire qu'Holmes avait déroulé devant moi avec sa clarté habituelle.

---

7. **might have inflicted** : emploi d'un infinitif passé après le défectif pour traduire le conditionnel passé.
8. ▲ **injuries** : *blessures ;* to be injured : *être blessé ;* mais *les injures* = **abuse** (sing.), **insults**. *Injurier :* to abuse, to insult.
9. **on the other hand** : *d'autre part.* On the one hand... on the other hand : *d'une part... d'autre part.*
10. **must** : présent au lieu du passé car il s'agit du style indirect ; on aurait pu l'omettre dans la traduction.
11. **in a nutshell** : m. à m. : *dans une coquille de noix,* donc concentré dans un petit espace, d'où *en résumé.*
12. **any** : s'emploie ici au lieu de **some** car la phrase commence par **if** (exprime le doute) ; on ne sait pas si Watson peut aider (ou non) Holmes de ses lumières.

Though [1] most of the facts were familiar to me, I had not sufficiently appreciated [2] their relative importance, nor their connexion with each other.

"Is it possible," I suggested, "that the incised wound upon Straker may have been caused by his own knife in the convulsive struggles which follow any brain injury [3] ?"

"It is more than possible ; it is probable," said Holmes. "In that case, one of the main points in favour of the accused disappears."

"And yet," said I, "even now I fail [4] to understand what the theory of the police can be."

"I am afraid that whatever [5] theory we state has very grave objections to it [6]," returned my companion. "The police imagine, I take it [7], that this Fitzroy Simpson, having drugged the lad, and having in some way obtained a duplicate key [8], opened the stable door, and took out the horse, with the intention, apparently, of kidnapping him [9] altogether [10]. His bridle is missing, so that Simpson must have put [11] it on. Then, having left the door open behind him, he was leading the horse away over the moor, when he was either met or overtaken by the trainer. A row [12] naturally ensued, Simpson beat out the trainer's brains with his heavy stick without receiving any injury from the small knife which Straker used in self-defence [13], and then the thief either led the horse on to some secret hiding-place, or else it may have bolted [14] during the struggle, and be wandering out on the moors.

---

1. **though** [ðou](ou **although**) : *bien que, quoique.*
2. **to appreciate** [ə'priːʃieit], *évaluer, estimer la valeur de qqch ;* I fully appreciate the fact that : *je me rends clairement compte que ;* I greatly appreciate your kindness : *je suis très sensible à votre gentillesse.*
3. **brain injury :** nom composé (nom + nom).
4. **to fail :** *faillir ;* to fail to : *ne pas réussir à* (I fail to see why : *je ne vois pas pourquoi*). To fail in an exam : *échouer à un examen.*
5. **whatever :** le suffixe **ever** s'ajoute à certains pronoms relatifs ou interrogatifs avec le sens de *n'importe lequel ;* **whatever :** *quel que soit ;* **whenever :** *toutes les fois que ;* **whoever :** *quiconque ;* **wherever ;** *n'importe où...*
6. **objections to it :** *des objections à cette théorie ;* to

Bien que la plupart des faits m'aient déjà été connus, je n'avais pas suffisamment mesuré leur importance relative, ni leur connection entre eux.

« N'est-il pas possible, suggérai-je, que la blessure en forme d'incision de Straker ait été causée par son propre couteau dans les mouvements convulsifs qui suivent toute lésion au cerveau ?

— C'est plus que possible, c'est probable, répondit Holmes. Dans ce cas, l'un des points principaux en faveur de l'accusé disparaît.

— Et pourtant, lui dis-je, même maintenant je n'arrive pas à comprendre quelle peut être la théorie de la police.

— Je crains bien, répliqua mon compagnon, que quelle que soit la théorie que nous élaborions, elle ne se heurte à d'importantes objections. La police s'imagine, je suppose, que ce Fitzroy Simpson, ayant drogué le lad et s'étant procuré par un quelconque moyen un double de la clé, a ouvert la porte des écuries et fait sortir le cheval, apparemment dans l'intention de le kidnapper. Sa bride manque, de sorte que Simpson a dû la lui mettre. Ensuite, ayant laissé la porte ouverte derrière lui, il était en train d'emmener le cheval sur la lande quand il fut découvert ou rattrapé par l'entraîneur. Une rixe naturellement s'en suivit, Simpson abattit sa lourde canne sur le crâne de l'entraîneur sans recevoir aucune blessure du petit couteau que Straker avait sorti pour se défendre ; ensuite, ou bien le voleur conduisit le cheval plus loin vers une cachette secrète, ou alors peut-être que le le cheval s'est sauvé pendant la lutte et qu'il est en train d'errer sur la lande.

---

object to sth, *s'opposer à qqch.*
7. **I take it :** *je suppose ;* **as I take it,** *selon moi.*
8. **duplicate key :** *le double de la clé ;* to ˜duplicate : *reproduire en double exemplaire.*
9. **him** représente le cheval (le genre masculin le personnalise davantage) ; plus loin Holmes emploiera it.
10. **altogether :** *entièrement, tout à fait, du même coup.* N'a pas été traduit ici car n'apporte aucun sens particulier.
11. **must** suivi d'un verbe à l'infinitif passé (**must have put it on**) exprime la quasi-certitude d'un fait passé.
12. **row :** Δ à la prononciation ; **row** [rau] : *bagarre ;* **row** [rou] : *rangée, rang ;* **to row** [rou] : *ramer, canoter.*
13. **self defence :** *auto-défense, défense de soi.*
14. **to bolt :** *verrouiller,* mais signifie aussi *prendre le mors aux dents,* et ici, *filer, décamper.*

That is the case as it appears to the police, and improbable as it is [1], all other explanations are more improbable still. However, I shall very quickly test [2] the matter when I am once upon the spot, and until then I really cannot see how we can get much further [3] than our present position."

It was evening before we reached the little town of Tavistock [4], which lies, like the boss [5] of a shield, in the middle of the huge circle of Dartmoor. Two gentlemen were awaiting us [6] at the station ; the one a tall fair man with lion-like [7] hair and beard, and curiously penetrating light blue eyes, the other a small alert person, very neat and dapper [8], in a frock-coat [9] and gaiters, with trim little side-whiskers and an eye-glass. The latter [10] was Colonel Ross, the well-known sportsman, the other Inspector Gregory, a man who was rapidly making his name [11] in the English detective service.

"I am delighted that you have come down, Mr Holmes," said the Colonel. "The Inspector here has done all that could possibly be suggested ; but I wish to leave no stone unturned [12] in trying to avenge poor Straker, and in recovering my horse."

"Have there been any fresh [13] developments ?" asked Holmes.

"I am sorry to say that we have made very little progress," said the Inspector.

---

1. **improbable as it is** : mis pour **as improbable as it is** : *aussi improbable que cela soit.* It représente l'affaire telle qu'elle apparaît à la police, que l'on traduit par « *cette théorie* ».
2. **to test** : *vérifier, contrôler ;* **a test** : *un examen* médical, scolaire... (**driving test** : *examen pour le permis de conduire*).
3. **further** : comparatif de **far** : *loin ;* **further** s'emploie quand il s'agit de distance, de temps, ou au sens figuré ; **farther** s'emploie uniquement quand il s'agit de distance.
4. **Tavistock** : la plus grande ville située sur les landes du Devonshire, au sud-ouest de l'Angleterre.
5. **boss** : renflement central d'un bouclier, *ombon.*
6. forme littéraire de **were waiting for us.**

Voilà l'affaire telle qu'elle apparaît à la police, et tout improbable qu'elle soit, cette théorie l'est pourtant moins que toutes les autres explications. Je vais cependant examiner le problème très rapidement dès que je serai sur place ; et jusque-là, je ne vois vraiment pas comment nous pourrions y voir plus clair. »

Le soir tomba avant que nous n'atteignîmes la petite ville de Tavistock, qui est située, comme un ombon de bouclier, au milieu du grand cercle de Dartmoor. Deux hommes nous attendaient à la gare ; l'un était grand et blond avec une barbe et une crinière léonines, et des yeux bleu clair étrangement pénétrants, l'autre était un petit homme vif, très soigné et tiré à quatre épingles dans sa redingote et ses guêtres, portant un monocle et des favoris soigneusement coupés. Ce dernier était le colonel Ross, sportif bien connu, et l'autre était l'inspecteur Gregory, un homme dont la réputation grandissait rapidement dans la police criminelle anglaise.

« Je suis ravi que vous soyez venu jusqu'ici, Monsieur Holmes, lui dit le colonel. L'inspecteur ici présent a fait tout ce qu'il était possible de faire ; mais je souhaite que tout soit passé au crible pour essayer de venger le pauvre Straker et retrouver mon cheval.

— Y a-t-il des éléments nouveaux ? demanda Holmes.

— Je suis désolé de vous dire que nous n'avons fait que très peu de progrès, répondit l'inspecteur.

---

7. **lion-like** : *qui ressemble à un lion, léonin ;* **manlike** : *digne d'un homme, mâle.*
8. **dapper** : *tiré à quatre épingles, pimpant.*
9. **frock** : *robe de femme ou de petite fille ;* **frockcoat** : *redingote.*
10. △ **the latter** : *le dernier* (de deux), comparatif irrégulier de **late** ; **the former** : *le premier* (de deux). Quand on se réfère à plus de deux, on emploie les superlatifs, **the first**, **the last** : *le premier, le dernier.*
11. m. à m. : *se faisait rapidement un nom.* Le possessif devant **name** se traduit par le réfléchi en français.
12. m. à m. : *ne laisser aucune pierre sans la retourner, ne laisser échapper aucun indice.*
13. **fresh** : *frais, récent, novice,* a ici le sens de *nouveau.*

"We have an open carriage outside, and as you would no doubt like to see the place before the light fails [1], we might talk it over [2] as we drive."

A minute later we were all seated in a comfortable landau and were rattling through [3] the quaint [4] old Devonshire town. Inspector Gregory was full of his case, and poured out a stream of remarks, while Holmes threw in an occasional question or interjection [5]. Colonel Ross leaned back [6] with his arms folded and his hat tilted over his eyes, while I listened with interest to the dialogue of the two detectives. Gregory was formulating his theory, which was almost exactly what Holmes had foretold [7] in the train.

"The net is drawn pretty [8] close round Fitzroy Simpson," he remarked, "and I believe myself that he is our man. At the same time, I recognize that the evidence is purely circumstantial, and that some new development may upset [9] it."

"How about Straker's knife ?"

"We have quite come to the conclusion that he wounded himself in his fall."

"My friend Dr Watson made that suggestion to me as we came down. If so, it would tell against [10] this man Simpson."

"Undoubtedly. He has neither a knife nor any sign of a wound. The evidence against him is certainly very strong.

---

1. **the light fails :** *la lumière baisse,* d'où *le jour baisse.*
2. **to talk :** *parler ;* **to talk over :** *discuter ;* **to think :** *penser,* **to think over :** *réfléchir.*
3. **to rattle through :** *cliqueter, faire des bruits secs et répétitifs ;* **through :** *à travers.* D'où le français « *traverser en faisant du bruit* ».
4. **quaint :** *bizarre, baroque, pittoresque* (pour un lieu). **Isn't she quaint :** *quelle drôle de petite bonne femme !*
5. m. à m. : *il déversa un flot d'observations tandis que Holmes lançait de temps en temps une question ou interjection.*
6. **to lean (leaned** ou **leant) :** *s'appuyer ;* **to lean back on one's armchair :** *se renverser dans son fauteuil ;* **to lean against :** *s'adosser à ;* **to lean forward :** *se pencher en avant ;* **to lean over backwards :** *se mettre en quatre.*
7. **to foretell (foretold) :** *prédire ;* **to foresee, to forecast :**

38

Nous avons une voiture découverte qui attend dehors, et comme vous aimeriez sans doute voir les lieux avant que le jour ne baisse, nous discuterons de tout cela en route. »

Une minute plus tard nous étions tous installés dans un confortable landau et nous traversions à grand bruit la vieille petite ville pittoresque du Devonshire. L'inspecteur Gregory était plein de son sujet et le flot d'observations qu'il déversa sur nous ne fut qu'occasionnellement interrompu par une question ou une interjection de la part d'Holmes. Le colonel Ross se cala contre le dossier de son siège, les bras croisés et le chapeau rabattu sur les yeux, pendant que j'écoutais avec intérêt la conversation des deux détectives. Gregory était en train d'exposer sa théorie qui était presque identique à celle qu'Holmes m'avait prédite dans le train.

« Le filet se resserre autour de Fitzroy Simpson, déclarat-il, et je crois dur comme fer qu'il est notre homme. Mais en même temps, je reconnais que les preuves sont uniquement circonstancielles et que tout nouveau développement pourrait les détruire.

— Et le couteau de Straker, qu'en faites-vous ?

— Nous avons pratiquement conclu qu'il s'était blessé lui-même dans sa chute.

— Mon ami le docteur Watson m'a fait la même suggestion pendant notre voyage. Si elle se révèle exacte, cela tendrait à prouver la culpabilité de ce Simpson.

— Sans aucun doute. Il n'a ni couteau, ni trace de blessure. Les preuves contre lui pèsent certainement très lourd.

---

prévoir ; **the weather forecast** : *les prévisions météorologiques.*
8. **pretty :** (adv.) *plutôt, assez* (= **rather**) ; m. à m. : *le filet est tiré assez près autour,* d'où, *le filet se resserre.*
9. **to upset :** *renverser, troubler, désorganiser ;* **to be upset** : *être bouleversé ;* **don't get upset** : *ne vous rendez pas malade.*
10. **to tell against :** *parler contre, témoigner contre.* Homes dit page 33 que le sang sur le couteau de Straker prouve que son assaillant doit être blessé. Mais si on conclut que le sang est celui de Straker qui s'est blessé lui-même, le fait que Simpson, le coupable présumé, ne soit pas blessé ne l'innocente plus, et témoigne donc contre lui. Conan Doyle ne s'explique pas ici très clairement.

He had a great interest in the disappearance of the favourite, he lies under the suspicion of having poisoned the stable boy, he was undoubtedly out [1] in the storm, he was armed with a heavy stick, and his cravat was found in the dead man's hand. I really think we have enough to go before a jury [2]."

Holmes shook his head. "A clever counsel [3] would tear it all to rags" [4], said he. "Why should he take the horse out of the stable ? If he wished to injure it, why could he not do it there ? Has a duplicate key been found in his possession ? What chemist sold him the powdered opium ? Above all, where could he, a stranger to [5] the district, hide a horse, and such a horse as this ? What is his own explanation as to the paper which he wished the maid to give [6] to the stable boy ?"

"He says that it was a ten-pound note. One was found in his purse. But your other difficulties are not so formidable [7] as they seem. He is not a stranger to the district. He has twice [8] lodged at Tavistock in the summer. The opium was probably brought from London. The key, having served its purpose [9], would be hurled [10] away. The horse may lie [11] at the bottom of one of the pits [12] or old mines upon the moor."

"What does he say about the cravat ?"

"He acknowledges [13] that it is his, and declares that he had lost it.

---

1. **out :** (adverbe) *dehors ;* avec mouvement, il traduit l'idée de sortir (**to run out** : *sortir en courant ;* **out you go !** *hors d'ici !*) ; sans mouvement, il peut se traduire de multiples façons (**to be out** : *être sorti, être hors jeu ;* **out at sea** : *en mer, au large ;* **out with it** : *achevez donc ! expliquez-vous !* etc.).

2. **jury :** *le jury, les jurés ;* **Gentlemen of the jury :** *Messieurs les jurés.*

3. **counsel** [ka'uns[ə]l] 1) *avis, conseil ;* 2) *conseiller, avocat* (plaidant dans un procès).

4. **to tear (tore, torn) to rags :** *déchirer, mettre en lambeaux.*

5. **to be a stranger to :** *être étranger à, inconnu de.*

6. les verbes exprimant un ordre, ou un souhait (**to ask, to want, to beg,** ici **to wish...**) sont suivis d'une proposition infinitive ; une proposition introduite par **that** est exclue (I

40

Il avait un grand intérêt à la disparition du favori, il est soupçonné d'avoir empoisonné le garçon d'écurie, il était indiscutablement dehors sous la pluie, il était armé d'une lourde canne et sa cravate a été retrouvée dans la main de la victime. Je pense vraiment que c'est assez pour se présenter devant un jury. »

Holmes hocha la tête. « Un habile avocat démolirait tout ça facilement, dit-il. Pourquoi Simpson aurait-il fait sortir le cheval de l'écurie ? S'il souhaitait le blesser, pourquoi ne pouvait-il pas le faire à l'intérieur ? Un double de la clef a-t-il été retrouvé sur lui ? Quel pharmacien lui a vendu l'opium en poudre ? Et surtout, où pourrait-il, lui, un étranger au pays, cacher un cheval et un cheval tel que celui-ci ? Quelle est sa propre explication du papier qu'il souhaitait que la bonne remette au garçon d'écurie ?

— Il déclare que c'était un billet de dix livres. On en a trouvé un dans son portefeuille. Mais les autres obstacles ne sont pas aussi insurmontables qu'ils ne semblent. Il n'est pas étranger au district, il a logé deux fois à Tavistock durant l'été. L'opium a été probablement apporté de Londres. La clé, ayant rempli son rôle, a pu être lancée au loin. Le cheval peut très bien se trouver au fond de l'un de ces puits ou de l'une de ces vieilles mines qui parsèment la lande.

— Que dit-il au sujet de la cravate ?

— Il reconnaît que c'est la sienne, et il affirme qu'il l'avait perdue.

---

want, I wish her to leave : *je veux, je souhaite qu'elle parte*).

7. △ **formidable** : *redoutable, formidable,* mais n'a pas le sens laudatif de « formidable » en fr. (comme **terrible** : *affreux*).

8. **twice** : *deux fois,* **once** : *une fois ;* mais ensuite on dit **three, four, five times** etc. : *trois, quatre, cinq fois...*

9. **to serve a purpose** : *servir à un usage ;* **to answer the purpose** : *répondre au but ;* **to do sth on purpose** : *faire qqch à dessein, exprès.*

10. **to hurl** : *lancer avec force, avec violence.*

11. △**to lie (lay, lain)** : *être étendu* (d'où *se trouver*), à ne pas confondre avec **to lie (lied)** : *mentir.*

12. **pit** : *fosse, trou, puits* d'une mine de charbon.

13. **to acknowledge** [ək'nɔlidʒ] : *reconnaître, avouer qqch.* To acknowledge receipt of a letter : *accuser réception d'une lettre ;* **acknowledgement** : *constatation, reconnaissance.*

But a new element has been introduced into the case which may[1] account for[2] his leading[3] the horse from the stable."

Holmes pricked up his ears.

"We have found traces which show that a party of gipsies encamped[4] on Monday night within a mile of the spot where the murder took place. On Tuesday they were gone[5]. Now, presuming that there was some understanding between Simpson and these gipsies[6], might he not have[7] been leading the horse to them when he was overtaken, and may they not have him now ?"

"It is certainly possible."

"The moor is being scoured[8] for these gipsies. I have also examined every stable and outhouse[9] in Tavistock, and for a radius of ten miles[10]."

"There is another training stable[11] quite close, I understand ?"

"Yes, and that is a factor which we must certainly not neglect. As Desborough, their horse, was second in the betting, they had an interest in the disappearance of the favourite. Silas Brown, the trainer, is known to have[12] had large bets upon the event, and he was no friend to poor Straker[13]. We have, however, examined the stables, and there is nothing to connect him with the affair."

"And nothing to connect this man Simpson with the interests of the Capleton stable ?"

---

1. **may** : emploi du défectif **may (might)** lorsqu'il s'agit d'exprimer des possibilités, des hypothèses ou un doute.
2. **to account for** + nom ou verbe en **ing** : *rendre compte de, justifier, expliquer ;* to account for an expenditure : *justifier une dépense ;* account : *compte ;* accountant : *comptable.*
3. **his leading** : tournure fréquente du nom verbal marquant un style soutenu ; on pourrait également dire, **the fact that he had led the horse.**
4. **to encamp** : *camper ;* on dit plutôt **to camp.**
5. **were gone** : l'auxiliaire *être* exprime l'état résultant d'une action *(ils étaient partis) ;* mais on dira **they had gone** : *ils étaient allés,* pour exprimer l'action elle-même.
6. m. à m. : *qu'il y eut une entente quelconque entre eux.*
7. **might he not have** ; might est employé ici comme

42

Mais un nouvel élément est survenu qui pourrait bien expliquer le fait qu'il ait emmené le cheval hors de l'écurie... »

Holmes dressa l'oreille.

« Nous avons trouvé des traces qui montrent qu'un groupe de romanichels a campé pendant la nuit de lundi à un peu plus d'un kilomètre de l'endroit où le meurtre a eu lieu. Le mardi, ils étaient partis. Or, en supposant que ces romanichels étaient de mèche avec Simpson, ne serait-il pas possible qu'il leur ait amené le cheval quand il s'est vu rattrapé, et ne serait-ce pas eux qui l'ont actuellement en leur possession ?

— C'est certainement possible.

— On fouille actuellement la lande pour retrouver ces nomades. J'ai aussi examiné toutes les écuries et toutes les dépendances de Tavistock dans un rayon d'une quinzaine de kilomètres.

— Il y a une autre écurie d'entraînement tout près, si j'ai bien compris ?

— Oui, et c'est un facteur que nous ne devons absolument pas négliger. Comme Desborough, leur cheval, bénéficiait de la seconde cote, ils avaient grand intérêt à voir le favori disparaître. Silas Brown, l'entraîneur, a, paraît-il, misé gros sur la course, et il n'était pas en bons termes avec le pauvre Straker. Nous avons cependant fouillé ses écuries et nous n'avons rien trouvé qui puisse le rattacher à l'affaire.

— Et rien qui puisse établir un lien entre ce Simpson et les écuries de Capleton ?

---

auxiliaire avec le sens d'un conditionnel passé puisqu'il est suivi de **have** ; m. à m. : *n'aurait-il pas pu se trouver en train de ?*
8. **to scour :** *parcourir,* ou *battre la campagne* à la recherche de qqn ; **the moor is being scoured** est à la forme passive progressive car la lande est actuellement fouillée.
9. **outhouse :** *bâtiment extérieur, dépendance, appentis...*
10. **10 miles** = 16.090 mètres.
11. **training stable :** *écurie d'entraînement.*
12. **is known to have :** *est connu pour avoir,* d'où, *a, paraît-il ;* **is known to be :** *est connu pour être, on le sait être.*
13. m. à m. : *n'était pas un ami pour le pauvre Straker ;* on aurait pu dire, **he was not on friendly terms with...**

"Nothing at all."

Holmes leaned back in the carriage and the conversation ceased. A few minutes later our driver pulled up [1] at a neat little red brick villa [2] with overhanging eaves [3], which stood [4] by the road. Some distance off, across a paddock [5], lay a long grey-tiled [6] outbuilding [7]. In every other direction the low curves of the moor, bronze-coloured [8] from the fading ferns, stretched away to the sky-line, broken only by the steeples of Tavistock, and by a cluster of houses away to the westward [9], which marked the Capleton stables. We all sprang out [10], with the exception of Holmes, who continued to lean back with his eyes fixed upon the sky in front of him, entirely absorbed in his own thoughts. It was only when I touched his arm that he roused himself [11] with a violent start and stepped out of the carriage.

"Excuse me," said he, turning to Colonel Ross, who had looked at him in some surprise. "I was day-dreaming [12]." There was a gleam [13] in his eyes and a suppressed excitement in his manner which convinced me, used as I was to his ways, that his hand was upon a clue [14], though I could not imagine where he had found it.

"Perhaps you would prefer at once to go on to the scene of the crime, Mr Holmes ?" said Gregory.

"I think that I should prefer to stay here a little and go into one or two questions of detail.

---

1. **to pull :** *tirer ;* to pull up at : *s'arrêter à un endroit ;* (mais **to pull up** : *remonter, relever, tirer vers le haut*).
2. **red brick villa :** brick est un nom de matériau considéré comme un adj. et se traduit en fr. par un compl. de nom ; de même : **wood fibre, glass wall** *(paroi de verre)* etc.
3. **eaves :** *gouttière, auvent, avant-toit* (nom pl.) ; **to eaves-drop** : *écouter aux portes.*
4. **stood :** (prétérit de **to stand**) *se tenir debout, se trouver* (pour un bâtiment), *se dresser, s'élever.* **By** (adverbe), *près de ;* la traduction exacte serait « *qui se tenait près de* ».
5. **paddock :** on emploie ce mot en fr. pour signifier *un enclos* ou *une prairie* pour les poulinières et les poulains ; sur les champs de course, le paddock est l'enceinte réservée où les chevaux sont promenés à la main.
6. **grey-tiled :** adjectif composé (adj. + p. passé) ; le

44

— Rien du tout. »

Holmes se recula dans son siège et la conversation cessa. Quelques minutes plus tard notre cocher s'arrêta devant une coquette petite villa de brique rouge avec des avant-toits en surplomb, construite au bord de la route. A une petite distance de là, de l'autre côté d'un paddock, s'étendait une longue dépendance avec un toit de tuiles grises. Tout autour, les légères ondulations de la lande auxquelles les fougères qui se fanaient donnaient une couleur mordorée s'étendaient jusqu'à l'horizon, interrompues seulement par les clochers de Tavistock et, vers l'ouest, par un groupe de maisons qui constituaient les écuries de Capleton. Nous descendîmes prestement, excepté Holmes qui resta enfoncé dans son coin, les yeux fixés sur le ciel devant lui, entièrement absorbé par ses propres pensées. Ce ne fut que lorsque je lui touchai le bras qu'il se réveilla avec un violent sursaut et qu'il descendit de la voiture.

« Veuillez m'excuser ! dit-il en se tournant vers le colonel Ross qui l'avait regardé quelque peu surpris. Je rêvais tout éveillé. » Il y avait une lueur dans ses yeux et une excitation contenue dans ses manières qui m'apportèrent la conviction, moi qui le connaissais bien, qu'il avait mis le doigt sur un indice, bien que je ne pusse imaginer où il l'avait trouvé.

« Peut-être préféreriez-vous aller tout de suite sur les lieux du crime, Monsieur Holmes ? lui demanda Gregory.

— Je pense que je préférerais rester ici un peu et approfondir d'abord un ou deux points de détail.

---

second élement est le plus important ; le premier le précise, (ici, la couleur). **To tile :** *couvrir un toit de tuiles,* mais aussi *carreler un sol ;* **tile :** *tuile* ou *carreau de céramique.*
7. **outbuilding** = outhouse = *dépendance* (cf p. 17).
8. **bronze-coloured :** adjectif composé comme **grey-tiled ;** *couleur de bronze, mordoré.*
9. **westward :** *en direction de l'ouest* (the Westward Movement : *la conquête de l'Ouest*) ; on dit aussi, **northward, eastward…**
10. **to spring (sprang, sprung) :** *bondir, sauter, jaillir ;* **to spring out :** *sortir en bondissant* (ici, au sens affaibli).
11. **to rouse oneself :** *se secouer, sortir de sa torpeur.*
12. **to daydream :** *rêver tout éveillé, rêvasser.*
13. **a gleam :** *une lueur, une lumière miroitante.*
14. **a clue :** *une indication, un indice.*

Straker was brought back here, I presume ?"

"Yes, he lies upstairs. The inquest is tomorrow."

"He has been in your service some years, Colonel Ross ?"

"I have always[1] found him an excellent servant."

"I presume that you made an inventory of what he had in his pockets at the time of his death, Inspector ?"

"I have the things themselves[2] in the sitting-room if you would care to[3] see them."

"I should be very glad."

We all filed into[4] the front room and sat round the central table, while the Inspector unlocked a square tin box and laid a small heap of things before[5] us. There was a box of vestas[6], two inches of tallow[7] candle, an A.D.P. briar root-pipe[8], a pouch al sealskin with half an ounce[9] of long-cut Cavendish[10], a silver watch with a gold chain, five sovereigns[11] in gold, an aluminium pencil-case, a few papers, and an ivory-handled knife with a very delicate inflexible blade marked "Weiss and Co., London."

"This is a very singular knife", said Holmes, lifting it up and examining it minutely[12]. "I presume, as I see bloodstains upon it, that it is the one which was found in the dead man's grasp. Watson, this knife is surely in your line[13]."

"It is what we call a cataract knife," said I.

"I thought so.

---

1. **always :** comme tous les adverbes de temps (**often, never, rarely...**), se place entre le sujet et le verbe à temps simple ; mais entre l'auxiliaire et le p. passé dans les temps composés (**I often see him** mais **I have often seen him**).
2. **the things themselves :** *les objets eux-mêmes ;* mais **themselves** peut avoir un sens réfléchi (**they have hurt themselves :** *ils se sont fait mal*).
3. **if you care to :** *si cela vous plaît, vous intéresse.* **If you would care to,** au conditionnel est plus déférent *(au cas où cela vous plairait),* mais il n'a pas été traduit ici pour alléger la phrase.
4. **to file :** *marcher à la file ;* **to file in** (ou **into**), **to file out :** *entrer, sortir à la queue leu leu.*
5. **before :** 1) *devant* (dans l'espace) ; 2) *avant* (dans le temps).
6. **vestas :** *allumettes,* dont le nom se réfère à Vesta, la déesse du feu et du foyer dans la Rome antique.

Straker a été ramené ici, je suppose ?

— Oui, il repose en haut. L'enquête judiciaire a lieu demain.

— Il a été à votre service pendant plusieurs années, colonel Ross ?

— Je l'ai toujours considéré comme un employé parfait.

— Je suppose que vous avez fait un inventaire de ce qu'il avait dans ses poches au moment du crime, inspecteur ?

— J'ai rassemblé les objets en question dans le salon si cela vous intéresse de les voir.

— J'en serais très content. »

Nous entrâmes tous un par un dans la pièce de devant et nous nous assîmes autour de la table centrale tandis que l'inspecteur ouvrait une boîte carrée en fer-blanc et déposait sous nos yeux un petit tas d'objets. Il y avait une boîte d'allumettes-bougies, six centimètres de chandelle, une pipe A.D.P. en racine de bruyère, une blague en peau de phoque avec quinze grammes de Cavendish coupé long, une montre en argent avec une chaîne en or, cinq souverains en or, un porte-mine en aluminium, quelques papiers et un couteau à manche d'ivoire avec une lame très fine et rigide portant l'inscription « Weiss & Co, London ».

« Voici un couteau très curieux, déclara Holmes en le levant en l'air et en l'examinant minutieusement. Je suppose, comme j'aperçois des taches de sang dessus, que c'est celui qui a été trouvé dans la main crispée du mort. Watson, ce couteau vous dit sûrement quelque chose.

— Oui, c'est ce que nous appelons un bistouri-cataracte.

— Je pensais bien que c'était ça.

---

7. **tallow** : *le suif ;* **tallow candle** : *bougie de suif.*
8. **A.D.P. briar root pipe** : A.D.P. = **Ancona Della Piccola** ; la maison Dunhill se fournissait en petites racines de bruyère dans une usine d'Ancône en Italie.
9. **half an ounce** : une once = 28,35 grammes.
10. **Cavendish** : tabac adouci et comprimé en plaques qui porte le nom de son fabricant.
11. **sovereign** : *souverain,* pièce d'or qui valait environ une livre sterling, soit 25 francs, avant la guerre de 1914.
12. ▲ **minutely** : *minutieusement,* de **minute** [mai'nju:t], *minuscule.* Ne pas confondre avec **minute** ['minit], *minute de temps.*
13. **in your line** : *dans votre domaine professionnel.*

A very delicate blade devised[1] for very delicate work. A strange thing for a man to carry with him upon a rough[2] expedition, especially as it would not shut in his pocket."

"The tip[3] was guarded by a disc of cork which we found beside his body," said the Inspector. His wife tells us that the knife had lain for some days upon the dressing table[4], and that he had picked it up[5] as he left the room. It was a poor[6] weapon, but perhaps the best that he could lay his hands on[7] at the moment."

"Very possibly. How about these papers ?".

"Three of them are receipted[8] hay-dealers'[9] accounts. One of them is a letter of instructions from Colonel Ross. This other is a milliner's account for thirty-seven pounds fifteen, made out by Madame Lesurier, of Bond Street, to William Darbyshire. Mrs Straker tells us that Darbyshire was a friend of her husband's[10], and that occasionally his letters were addressed here."

"Madame Darbyshire had somewhat expensive tastes," remarked Holmes, glancing down[11] the account. "Twenty-two guineas[12] is rather heavy for a single costume. However, there appears to be nothing more to learn, and we may now go down to the scene of the crime."

As we emerged from the sitting-room a woman who had been waiting in the passage took a step forward and laid her hand upon the Inspector's sleeve.

---

1. **to devise :** 1) *inventer, concevoir* ; 2) *léguer* (immobilier).

2. **▲ rough** [rʌf] : 1) *rude, grossier, rugueux,* ici *difficile* ; 2) *approximatif* (a rough idea : *une vague idée*).

3. **tip :** *pointe, extrémité* (on the tip of the tongue : *sur le bout de la langue*) ; ne pas confondre avec **tip** : *pourboire* ou *tuyau* (a good tip : *un bon tuyau*).

4. **dressing table :** *table de toilette, coiffeuse.*

5. **to pick up :** *prendre, ramasser* (to pick up the receiver : *décrocher le téléphone* ; to pick someone up at the station : *venir chercher qqn à la gare*). Noter que lorsque le c.o.d. est un pronom, il se place entre le verbe et la postposition ; ici, **he picked it up** : *il l'avait pris.*

6. **poor :** *pauvre,* mais aussi *de mauvaise qualité, piètre.* He is poor at maths : *il est faible en maths.*

Une lame très fine conçue pour un travail très délicat. Un objet bien étrange à emporter sur soi dans une expédition difficile, surtout que ce type de couteau est impossible à fermer dans la poche.

— La pointe était protégée par une rondelle de bouchon que nous avons trouvée à côté du corps, ajouta l'inspecteur. Sa femme affirme que ce couteau était resté sur la table de toilette pendant un certain temps, et qu'il l'avait pris au passage en quittant la chambre. C'était une piètre arme, mais peut-être la meilleure qu'il ait eue sous la main à ce moment-là.

— C'est très possible. Et ces papiers ?

— Trois d'entre eux sont des factures payées de marchands de foin. Un autre est une lettre d'instructions émanant du colonel Ross. Cet autre-là est une note de couturière d'un montant de trente-sept livres quinze, établie par une certaine Madame Lesurier de Bond Street, au nom de William Darbyshire. Mrs Straker déclare que ce Darbyshire était un ami de son mari et que de temps à autre, son courrier lui était adressé chez eux.

— Mme Darbyshire avait plutôt des goûts de luxe, remarqua Holmes, en parcourant la note. Vingt-deux guinées, c'est relativement cher pour un seul tailleur. Toutefois j'ai l'impression qu'il n'y a plus rien à apprendre ici et nous pouvons nous rendre à présent sur les lieux du crime. »

Comme nous sortions du salon, une femme qui nous avait attendus dans le couloir fit un pas en avant et posa la main sur la manche de l'inspecteur.

---

7. ▲ m. à m. : *la meilleure sur laquelle il pouvait poser les mains.* On emploie l'adj. possessif devant les parties du corps (**with their hands in their pockets** : *les mains dans les poches ;* **a cigar in his mouth** : *le cigare à la bouche*).

8. **to receipt** [ri'si:t] : *acquitter, payer une facture.*

9. **hay dealers' :** pour le cas possessif des noms pl. l'apostrophe se met après le « s » du nom pluriel.

10. **a friend of her husband's :** tournure idiomatique (un parmi les amis de son mari).

11. **to glance :** *jeter un coup d'œil ;* **to glance down a list :** *parcourir une liste de haut en bas.*

12. **a guinea :** *une guinée* (21 **shillings**). Il n'existe ni pièce ni billet de 1 guinée, c'était une monnaie de compte utilisée pour les honoraires, les articles de luxe...

Her face was haggard, and thin, and eager[1] ; stamped[2] with the print of a recent horror.

"Have you got them ? Have you found them ?" she panted.

"No Mrs Straker ; but Mr Holmes, here, has come from[3] London to help us, and we shall do all that is possible."

"Surely I met you in Plymouth, at a garden party, some little time ago, Mrs Straker," said Holmes.

"No, sir ; you are mistaken[4]."

"Dear me[5] ; why[6], I could have sworn[7] to it. You wore a costume of dove-coloured[8] silk with ostrich feather trimming".

"I never had such a dress, sir," answered the lady.

"Ah ; that quite[9] settles it," said Holmes ; and with an apology[10], he followed the Inspector outside. A short walk across the moor took us to the hollow in which the body had been found. At the brink of it was the furze bush upon which the coat had been hung.

"There was no wind that night, I understand," said Holmes.

"None ; but very heavy rain."

"In that case the overcoat was not blown against the furze bushes, but placed there."

"Yes, it was laid across the bush."

---

1. **eager** ['iːgə(r)], *passionné, ardent ;* to be eager to do sth : *désirer ardemment faire qqch, être impatient de.*
2. **to stamp :** *frapper, estamper* (**stamp** : *timbre*), *imprimer sa marque ;* to stamp with rage : *trépigner de colère.*
3. **has come from :** emploi du **present perfect** car si l'action est terminée, elle n'est pas située dans le temps ; les détails de la venue de Holmes ne comptent pas, seul le résultat importe.
4. **to mistake (mistook, mistaken) :** *se méprendre ;* to mistake someone for someone else : *confondre qqn avec qqn d'autre.* Souvent employé au passif : **you are mistaken :** *vous faites erreur.* Rappel d'exemples d'utilisation du préfixe mis- dans un sens négatif (souvent traduit par *mal* ou *mauvais*) : **to misuse :** *mal utiliser ;* **to misunderstand :** *mal comprendre ;* **to mistrust :** *se méfier ;* **misfortune :** *malheur, infortune...*

Son visage était hagard, maigre et ardent, empreint d'une horreur toute récente.

« Vous les avez eus ? Vous les avez trouvés ? demanda-t-elle d'une voix haletante.

— Non, madame Straker. Mais M. Holmes que voici est venu de Londres pour nous aider, et nous ferons tout notre possible.

— Je vous ai certainement déjà rencontrée à Plymouth à une garden party, il n'y a pas très longtemps, madame Straker, dit Holmes.

— Non, monsieur, vous faites erreur.

— Mon Dieu, je l'aurais pourtant juré. Vous portiez un tailleur de soie gorge-de-pigeon avec de la passementerie en plume d'autruche.

— Je n'ai jamais possédé une telle toilette, monsieur, répondit la dame.

— Tiens... Alors cela règle la question, ajouta Holmes ; et avec un mot d'excuse, il suivit l'inspecteur dehors. »

Une courte marche à travers la lande nous conduisit jusqu'à la cuvette où le corps avait été trouvé. Tout au bord se trouvait le buisson d'ajoncs sur lequel le manteau avait été accroché.

« Il n'y avait pas de vent cette nuit-là, si j'ai bien compris, demanda Holmes.

— Pas de vent du tout mais une très forte pluie.

— Dans ce cas, le manteau de pluie n'a pas été soufflé par le vent contre les buissons d'ajoncs, mais posé dessus.

— Exactement, il était posé en travers du buisson.

---

5. **dear me :** (interjection) *mon Dieu !* ; on dit aussi, **oh dear !** ou **dear, dear !** dans le sens de *hélas, diable !*
6. **why :** interjection marquant la surprise : *tiens, voyons ! mais... ! ça alors !* etc.
7. **could have sworn it :** *j'aurais pu le jurer* ; conditionnel passé du défectif **can** ; **to swear (swore, sworn)** : *jurer, prêter serment* ; **to swear to** : *attester, certifier qqch sous serment.*
8. **a dove :** *une colombe* ; **dove-coloured** (adj. composé : nom + p. passé) *couleur gorge-de-pigeon.*
9. **quite** [kwait] : (adverbe) *tout à fait, entièrement* (**quite new** : *tout nouveau* ; **quite so** : *parfaitement* ; **quite right** : *tout à fait exact, très bien*). La traduction ici l'a éludé.
10. **apology** [ə'pɔlədʒi], *excuse* (sing. et pl.) ; **to apologize** [ə'pɔlədʒaiːz] : *présenter des excuses.*

"You fill me with interest[1]. I perceive that the ground has been trampled up[2] a good deal. No doubt many feet have been there since Monday[3] night."

"A piece of matting has been laid here at the side, and we have all stood upon that."

"Excellent."

"In this bag I have one of the boots which[4] Straker wore, one of Fitzroy Simpson's shoes, and a cast[5] horseshoe of Silver Blaze."

"My dear Inspector, you surpass yourself !"

Holmes took the bag, and descending into the hollow he pushed the matting[6] into a more central position. Then stretching[7] himself upon his face and leaning his chin upon his hands he made a careful study of the trampled mud in front of him.

"Halloa !" said he, suddenly, "what's this ?"

It was a wax vesta, half burned, which was so coated[8] with mud that it looked at first like[9] a little chip[10] of wood.

"I cannot think how I came to overlook[11] it," said the Inspector, with an expression of annoyance.

"It was invisible, buried[12] in the mud. I only saw it because I was looking for it."

"What ! You expected to find it ?"

"I thought it not unlikely." He took the boots from the bag and compared the impression of each of them with marks on the ground.

---

1. m. à m. : *vous me remplissez d'intérêt.*
2. **to trample** : *piétiner* ; la postposition up exprime l'achèvement (ici sens de *piétiner complètement*) ; **drink it up** : *vide ton verre* ; **eat it up** : *finis ton assiette,* finish it up...
3. ▲ **have been there since Monday** : *ont été ici depuis lundi* ; emploi du plu. **perfect** avec **since** car l'action a commencé lundi et a duré jusqu'à aujourd'hui. **Since** réfère à une date ou une époque précise du passé. **Monday** prend une majuscule comme tous les jours de la semaine, les mois et les adj. de nationalité (**French, English**...).
4. **which** : le pronom relatif est ici complément et pourrait donc être omis (même chose si **that** avait été utilisé).
5. **to cast (away)** : *se débarrasser de, rejeter* (d'où *ancien*).
6. **matting** (ou **mat**) : *paillasson, natte de paille.*

52

— Voilà qui est intéressant. Je remarque que le sol a été pas mal piétiné. Bien sûr de nombreux pieds sont venus le fouler depuis la nuit de lundi.

— Un bout de paillasson a été posé ici sur le côté, et nous sommes tous restés dessus.

— Excellente idée !

— Dans ce sac j'ai l'une des bottes que Straker portait, l'une des chaussures de Simpson et un ancien fer de Flamme d'argent.

— Mon cher inspecteur, vous vous surpassez ! »

Holmes prit le sac, et en descendant au fond de la cuvette, il poussa le paillasson pour le mettre plus au centre. Puis, après s'être allongé dessus, face contre terre, le menton appuyé sur les mains, il se mit à étudier soigneusement la boue piétinée devant lui.

« Hola, fit-il soudain. Qu'est-ce que c'est que ça ? »

C'était une allumette-bougie, à demi consumée, et qui était tellement recouverte de boue qu'au premier abord, elle ressemblait à une petite brindille de bois.

« Je n'arrive pas à comprendre comment cela a pu m'échapper, dit l'inspecteur, l'air contrarié.

— Elle était invisible, enterrée dans la boue. Je l'ai vue uniquement parce que je la cherchais.

— Comment ! Vous vous attendiez à la trouver ?

— Je ne le croyais pas invraisemblable. » Il sortit les bottes du sac et compara l'empreinte de chacune d'entre elles avec les marques laissées sur le sol.

---

7. **to stretch :** *tendre, s'étendre, s'étirer* (**himself** n'est pas vraiment indispensable mais renforce l'idée de *lui-même*).

8. **to coat :** *enduire, enrober* (**coated tablet :** *comprimé dragéifié :* **coated with dust :** *couvert de poussière*).

9. **to look like** (+ nom ou verbe en -ing), *ressembler à, avoir l'air de ;* **it looks like raining :** *on dirait qu'il pleut.*

10. **chip :** *éclat, copeau de bois, écaille* (de pierre), *tranche mince de légumes* (d'où **chips,** pommes de terre émincées et frites) ; en informatique, **chip :** *une puce.*

11. **to overlook :** *négliger, laisser échapper, fermer les yeux sur ;* également *avoir vue sur* (**a room overlooking the garden :** *une chambre avec vue sur le jardin*).

12. **to bury :** *enterrer, ensevelir ;* **to bury oneself :** *s'enterrer, s'enfermer ;* **burial ground :** *cimetière.*

Then he clambered up[1] to the rim of the hollow and crawled[2] about among the ferns and bushes.

"I am afraid that there are no more tracks," said the Inspector. "I have examined the ground very carefully for a hundred yards[3] in each direction.

"Indeed[4]!" said Holmes, rising[5]; "I should not have the impertinence to do it again after what you say. But I should like to take a little walk[6] over the moors before it grows dark[7], that I may know my ground tomorrow, and I think that I shall put this horseshoe[8] into my pocket for luck."

Colonel Ross, who had shown some signs of impatience at my companion's quiet[9] and systematic method of work, glanced at his watch.

"I wish you would come back with me, Inspector," said he. "There are several points on which I should like your advice, and especially as to[10] whether we do not owe[11] it to the public to remove our horse's name from the entries[12] for the Cup."

"Certainly not," cried Holmes, with decision; "I should let the name stand."

The Colonel bowed[13]. "I am very glad to have had your opinion, sir," said he. "You will find us at poor Straker's house when you have finished your walk, and we can drive together into Tavistock."

He turned back with the Inspector, while Holmes and I walked slowly across the moor.

---

1. **to clamber (up)** : *grimper avec les pieds et les mains, escalader ;* **to climb** : *grimper,* a un sens plus général et un sens abstrait (**prices are climbing** : *les prix augmentent*).
2. **to crawl** : *ramper, avancer très lentement.* **About** donne l'idée de plusieurs directions à la fois *(autour, de-ci de-là).*
3. **a yard** (0,914 m) se traduit souvent par *un mètre* pour plus de commodité (**to buy fabric by the yard** : *acheter du tissu au mètre*).
4. **indeed** : *vraiment ;* appuie une affirmation (**yes indeed** : *mais certainement*) ou une négation.
5. Δ **to rise** [raiz] **(rose, risen)** : verbe intransitif, *se lever, se mettre debout* (**the sun rises** : *le soleil se lève ;* **the prices rise** : *les prix montent*). Δ**to raise** [reiz], verbe transitif : *élever, augmenter, faire pousser...*
6. **to take a walk** = to go for a walk.
7. **to grow (grew, grown)** : 1) *croître, pousser ;* to grow

54

Puis il regrimpa sur le bord de la cuvette et se mit à ramper tout autour, au milieu des fougères et des buissons.

« Je crains qu'il n'y ait plus de traces, dit l'inspecteur. J'ai examiné très attentivement le sol sur une distance de cent mètres dans chaque direction.

— Vraiment ! dit Holmes en se relevant ; je n'aurais donc pas l'impertinence de recommencer après ce que vous me dites. Mais j'aimerais faire un petit tour sur la lande avant qu'il ne fasse trop noir, pour que demain je puisse reconnaître mon terrain ; et je crois que je vais mettre ce fer à cheval dans ma poche pour me porter chance. »

Le colonel Ross, qui avait manifesté quelques signes d'impatience devant les méthodes d'investigation calmes et systématiques de mon compagnon, jeta un regard à sa montre.

« Je souhaiterais que vous reveniez avec moi, inspecteur, dit-il. Il y a plusieurs points sur lesquels j'aimerais avoir votre opinion, et surtout sur ceci : ne devons-nous pas à notre public de retirer le nom de notre cheval des participants à la Wessex Cup ?

— Certainement pas, s'écria Holmes avec force ; je laisserais figurer le nom au tableau. »

Le colonel s'inclina. « Je suis très heureux d'avoir eu votre opinion, monsieur, dit-il. Vous nous trouverez à la maison du pauvre Straker quand vous aurez fini votre promenade, et nous pourrons repartir tous ensemble à Tavistock. »

Il fit demi-tour avec l'inspecteur, pendant que Holmes et moi nous partîmes à pas lents à travers la lande.

---

tall : *grandir* (en taille) ; mais **to grow up** : *grandir, atteindre l'âge adulte* (**the grown ups** : *les grandes personnes*) ; 2) *devenir* (**to grow old** : *devenir vieux*, **to grow dark** : *devenir sombre, s'assombrir*).

8. **horseshoe** : *fer à cheval* (porte-bonheur).

9. ▲ **quiet** ['kwaiət] : *calme, tranquille* ; ne pas confondre avec **quite** : (adverbe) *tout à fait*.

10. **as to** : *quant à* (traduction plus légère : *sur ceci*).

11. **to owe** : *devoir* au sens de *être redevable* ; **I owe you money, an apology** : *je vous dois de l'argent, une excuse*.

12. **entry** : 1) *entrée, voie d'accès* (**entrance,** aux U.S.A.) ; 2) *inscription sur une liste* (ici liste des participants).

13. ▲ **to bow** [bau] : *s'incliner*, donc **bow** : *salut, révérence* ; mais **bow** [bou] : *arc* ; cf. p. 153.

The sun was beginning to sink behind the stables of Capleton, and the long sloping[1] plain in front of us was tinged[2] with gold, deepening into rich, ruddy brown where the faded fern and brambles caught the evening light. But the glories of the landscape were all wasted[3] upon my companion, who was sunk[4] in the deepest thought.

"It's this way, Watson," he said at last. "We may leave the question of who killed John Straker for the instant, and confine[5] ourselves to finding out[6] what has become of the horse. Now[7], supposing that he broke away[8] during or after the tragedy, where could he have gone to ? The horse is a very gregarious creature. If left to himself his instincts would have been either to return to King's Pyland or go over to Capleton. Why should he run wild[9] upon the moor ? He would surely have been seen by now[10]. And why should gipsies kidnap him ? These people always clear out[11] when they hear of trouble, for they do not wish to be pestered[12] by the police. They could not hope to sell such a horse. They would run a great risk[13] and gain nothing by taking him. Surely that is clear."

"Where is he, then ?"

"I have already said that he must have gone to King's Pyland or Capleton. He is not at King's Pyland, therefore he is at Capleton.

---

1. **to slope** : *être en pente* (**the garden slopes down to the river** : *le jardin descend vers la rivière*) ; **slope** : *pente.*
2. **to tinge** : *teinter, colorer ;* **tinge** : *nuance* au sens concret et abstrait (**a tinge of irony** : *une pointe d'ironie*).
3. **to waste** : *gaspiller ;* **to waste time** : *perdre du temps ;* **to waste money** : *gaspiller de l'argent ;* de même **to save time** : *gagner du temps ;* **to save money** : *économiser ;* **to spend time** : *passer du temps ;* **to spend money** : *dépenser.*
4. **to sink (sank, sunk)** : *couler, s'enfoncer, sombrer.*
5. **to confine** : *confiner, renfermer ;* **to confine oneself to** : *se limiter à ;* **confinement** : *réclusion ;* **in solitary confinement** : *au secret.*
6. **to find** : *trouver ;* **to find out** : *découvrir.*
7. **now** n'a pas ici de valeur temporelle (*or, voyons*).
8. **to break (broke, broken)** : *casser ;* **to break away** :

Le soleil commençait à baisser derrière les écuries de Capleton et la longue plaine ondoyante qui s'étendait devant nous était baignée de lumière dorée, s'approfondissant en de chaudes teintes d'un brun rougeâtre partout où les fougères fanées et les ronces accrochaient les derniers rayons du soir. Mais toutes les gloires du paysage étaient vaines aux yeux de mon compagnon qui était plongé dans une profonde méditation.

« Voici la méthode, Watson, dit-il enfin. Nous pouvons laisser de côté pour le moment la question de savoir qui a tué John Straker, et nous limiter à découvrir ce qu'est devenu le cheval. Voyons, en supposant qu'il se soit enfui pendant ou après la tragédie, où aurait-il pu aller ? Le cheval est un animal grégaire. S'il était resté livré à lui-même, son instinct l'aurait poussé soit à retourner à King's Pyland, soit à aller jusqu'à Capleton. Pourquoi jouerait-il au cheval sauvage sur la lande ? Depuis le temps, on l'aurait sûrement aperçu. Et dans quel but des romanichels l'auraient-ils kidnappé ? Ces gens-là déguerpissent toujours quand ils entendent parler d'histoires car ils n'ont pas du tout envie d'être embêtés par la police. Ils ne pouvaient pas espérer vendre un tel cheval. En s'en emparant, ils courraient un grand risque et n'auraient rien à gagner. Voilà une chose tout à fait claire.

— Mais alors, où est-il ?

— Je vous ai déjà dit qu'il devait être allé soit à King's Pyland soit à Capleton. Il n'est pas à King's Pyland, il est donc à Capleton.

---

s'échapper. **Break** : *rupture, coupure* (**coffee break** : *pause café*) ; **breakfast**, *petit déjeuner* (*rupture du jeûne*). Ne pas confondre avec **to brake** : *freiner* (même prononciation [breik]).

9. **to run wild** : *galoper comme un cheval sauvage ;* **wild** : (*adverbe*) *à l'état sauvage ;* **wildly** : (*adverbe aussi*) *sauvagement,* également *de façon extravagante, frénétiquement.*

10. **by** : ici dans le sens de *avant un moment donné ;* **by now** : *avant maintenant, à l'heure qu'il est ;* **by the end of the week** : *avant (d'ici à) la fin de la semaine.*

11. **to clear out** : *déguerpir, se sauver* (**clear out !** *filez !*) ; mais aussi *nettoyer, déblayer.*

12. **to pester** : *tourmenter, harceler.*

13. **to run a risk** : *courir un risque.*

Let us take [1] that as a working hypothesis [2], and see what it leads [3] us to. This part of the moor, as the Inspector remarked [4], is very hard and dry. But it falls away towards Capleton, and you can see from here that there is a long hollow over yonder [5], which must have been very wet on Monday night. If our supposition is correct, then the horse must have crossed that, and there is the point where we should [6] look for his tracks."

We had been walking [7] briskly during this conversation, and a few more minutes brought us to the hollow in question. At Holmes's request I walked down the bank to the right, and he to the left, but I had not taken fifty paces [8] before I heard him give [9] a shout, and saw him waving his hand to me. The track of a horse was plainly outlined [10] in the soft earth in front of him, and the shoe which he took from his pocket exactly fitted the impression.

"See the value of imagination," said Holmes. "It is the one [11] quality which Gregory lacks. We imagined what might have happened, acted upon the supposition, and find ourselves justified. Let us proceed [12]."

We crossed the marshy bottom and passed over a quarter of a mile of dry, hard turf [13]. Again the ground sloped and again we came on the tracks.

---

1. **let us take :** let us + inf. sans to, forme de l'impératif à la 1re personne du pl. (**let us go,** *allons, allons-y*).

2. ⚠ **hypothesis** [hai'pɔθisis] : *hypothèse ;* **hypothetical** [haipo'θetikəl], *hypothétique ;* à opposer pour la prononciation et l'accent à **hypocrite** ['hipokrit] et **hypocritical** [hipo'kritikəl] (adjectif).

3. **to lead (led, led) :** *mener à, conduire à ;* noter le to rejeté à la fin de la phrase.

4. **to remark :** *faire observer, faire une remarque.* Mais *remarquer* (au sens de s'apercevoir de), se dit **to notice.**

5. **yonder :** *là-bas,* forme littéraire.

6. **we should :** *nous devrions ;* l'action n'est pas ici une obligation, mais la chose raisonnable à faire.

7. la forme progressive ne se traduit pas nécessairement.

8. **pace :** *le pas, l'allure ;* **to keep pace with :** *marcher de pair avec ;* **to pace up and down :** *faire les cent pas.*

58

Prenons ceci comme hypothèse de travail, et voyons où elle nous mène. Cette partie de la lande, comme l'inspecteur en a fait la remarque, est très dure et sèche. Mais elle s'affaisse brusquement vers Capleton et d'ici vous pouvez voir qu'il y a une longue dépression là-bas qui doit avoir été bien détrempée dans la nuit de lundi. Si notre supposition est correcte, alors le cheval doit avoir traversé ce petit vallon et c'est donc l'endroit où nous devrions chercher les traces qu'il a pu laisser. »

Pendant cette conversation nous avions marché d'un pas vif, et quelques minutes plus tard, nous étions arrivés devant la dépression en question. A la demande de Holmes, je descendis le talus vers la droite et lui vers la gauche, mais je n'avais pas fait cinquante pas que je l'entendis pousser un cri, et que je le vis me faire un signe de la main. La trace d'un sabot de cheval était clairement visible dans la terre molle devant lui, et le fer qu'il sortit de sa poche correspondait exactement à l'empreinte.

« Vous voyez la valeur de l'imagination ? me dit Holmes. C'est la seule qualité qui manque à Gregory. Nous avons imaginé ce qui aurait pu se passer, nous avons agi en fonction de cette supposition et voici qui nous donne raison. Avançons ! »

Nous traversâmes le fond marécageux puis nous marchâmes pendant quatre cents mètres sur un sol dur et sec. De nouveau la lande s'affaissa et de nouveau nous retrouvâmes des traces.

---

9. construction des verbes de sensation (**to see, hear, feel, smell**) avec le c.o.d. + le verbe à l'inf. sans **to** ou à la forme en -**ing**. On peut donc dire, **I heard him come in** ou **coming in** : *je l'ai entendu entrer.* Ici **give** est à l'infinitif sans **to** car pousser un cri est instantané mais **waving** est au gérondif, car faire un signe de la main a une durée.

10. **to outline** : *tracer les contours ;* m. à m. : *l'empreinte d'un cheval était clairement tracée.*

11. **one** a ici le sens de **only** : *la seule, l'unique.*

12. **to proceed (one's way)** : *continuer, poursuivre sa route.*

13. **turf** : 1) *gazon, sol gazonné* (*tourbe* en Irlande) ; 2) *les courses de chevaux, le monde des courses. le turf.*

Then we lost them for half a mile, but only to pick them up once more [1] quite close to Capleton. It was Holmes who saw them first, and he stood pointing [2] with a look of triumph upon his face. A man's track was visible beside the horse's [3].

"The horse was alone before," I cried.

"Quite so. It was alone before. Halloa [4] ! What is this ?"

The double track turned sharp off [5] and took the direction of King's Pyland. Holmes whistled, and we both followed along after it. His eyes were on the trail, but I happened [6] to look a little to one side, and saw to my surprise the same tracks coming back again in the opposite direction.

"One for you, Watson," said Holmes, when I pointed it out [2] ; "You have saved us a long walk which would have brought us back on our own traces. Let us follow the return track [7]."

We had not to go far. It ended at the paving of asphalt which led up to the gates of the Capleton stables. As we approached a groom [8] ran out from them.

"We don't want any loiterers [9] about here," said he.

"I only wish to ask a question," said Holmes, with his finger and thumb in his waistcoat pocket. "Should I be too early to see [10] your master, Mr Silas Brown, if I were to [11] call at five o'clock tomorrow morning ?"

---

1. **once more** = once again : *une fois de plus, encore ;* **once and for all** : *une fois pour toutes :* **once a week** : *une fois par semaine.*
2. **to point** : *pointer ;* **to point at** : *montrer du doigt ;* **to point out** : *signaler, faire remarquer, souligner un fait.*
3. **the horse's : track** est ici sous-entendu : la forme possessive **'s** suffit à rappeler le mot non répété pour alléger la phrase. **Track** : *piste, trace(s), voie* (ferrée).
4. **halloa** (ou **hallo**) : interjection : *ohé, holà.*
5. **to turn off :** *tourner en changeant de route ;* mais le plus souvent *éteindre en tournant un bouton* (**turn off the radio, the television, the gaz, the light...**).
6. **to happen** : *survenir, se produire, se passer ;* mais **to happen to** + inf. (sans **to**), *faire qqch accidentellement, par hasard* (**I happened to be there** : *je me trouvai là par hasard*).

Puis nous les perdîmes pendant huit cents mètres environ, mais pour les retrouver une fois encore tout près de Capleton. Ce fut Holmes qui les vit le premier, et il me les montra du doigt le visage triomphant. Les traces d'un homme étaient visibles à côté de celles du cheval.

« Le cheval était seul auparavant, m'écriai-je.

— Très juste ! Il était seul jusque-là. Oh ! Oh ! Qu'est-ce que je vois là ? »

La double piste tournait brusquement et prenait la direction de King's Pyland. Holmes siffla et nous le suivîmes tous les deux. Ses yeux étaient à l'affût, mais je regardai par hasard un peu sur le côté et je découvris à ma stupéfaction les même traces qui revenaient à nouveau dans la direction opposée.

« Un point pour vous, Watson, me dit Holmes quand je lui montrai ma découverte ; vous nous avez épargné une longue marche qui nous aurait ramenés sur nos propres traces. Suivons donc la piste de retour. »

Nous n'eûmes pas à aller bien loin. Elle se terminait sur la chaussée d'asphalte qui montait vers les grilles des écuries de Capleton. Comme nous nous en approchions, un valet en sortit en courant.

« On ne veut pas de rôdeurs par ici ! nous lança-t-il.

— Je souhaite simplement vous poser une question, fit Holmes, le pouce et l'index plantés dans la poche de sa veste. Serait-ce trop tôt pour voir votre maître, Mr Silas Brown, si je décidais de venir lui rendre visite demain matin à cinq heures ?

---

7. **return track :** *piste de retour ;* nom composé nom + nom, le second est le plus important et devient le premier en fr., l'autre le qualifie et se traduit souvent par un compl. de nom (**return ticket :** *billet aller et retour ;* **return match :** *match revanche* ou *match retour*).
8. **groom :** *garçon d'écurie, palefrenier ;* à opposer à **lad,** *palefrenier* mais *futur jockey ;* **to groom :** *panser.* Autre sens de **groom** (ou **bridegroom**), *le marié* dans un mariage.
9. **to loiter :** *flâner, traîner ;* **loiterer,** *rôdeur, traînard.*
10. construction recherchée ; on aurait pu dire, **would it be too early... if I wanted to come and see your master.**
11. **if I where to :** après if, on emploie le subjonctif. Seul le verbe *être* a une forme particulière (sinon c'est la même construction que le prétérit), **if I were your, if he were rich !**

"Bless you [1], sir, if anyone is about he will be, for he is always the first stirring [2]. But here he is, sir, to answer your questions for himself. No, sir, no ; it's as much as my place is worth [3] to let him see me touch your money. Afterwards, if you like."

As Sherlock Holmes replaced the half-crown [4] which he had drawn from his pocket, a fierce-looking elderly [5] man strode out from the gate with a hunting-crop [6] swinging in his hand.

"What's this, Dawson ?" he cried. "No gossiping [7] ! Go about your business ! And you — what the devil do you want here ?"

"Ten minutes'talk [8] with you, my good sir," said Holmes, in the sweetest of voices.

"I've no time to talk to every gadabout [9]. We want no strangers here. Be off, or you may find a dog at your heels."

Holmes leaned forward and whispered something in the trainer's ear. He started [10] violently and flushed [11] to the temples [12].

"It's a lie !" he shouted. "An infernal lie !"

"Very good ! Shall we argue about it here in public, or talk it over in your parlour ?"

"Oh, come in if you wish to [13]."

Holmes smiled. "I shall not keep you more than a few minutes, Watson," he said. "Now, Mr Brown, I am quite at your disposal."

---

1. **Bless you** = God bless you : *Dieu vous bénisse.*
2. **to stir** : *remuer* (to stir one's coffee), *s'agiter ;* the first stirring = the first to stir : *le premier levé.*
3. m. à m. : *c'est autant que ma place vaut* (on aurait pu dire, I could lose my job if he saw me take your money).
4. **half a crown** : *demi-couronne* (2 **shillings** 1/2) ; la couronne valait 5 **shillings** ; il y avait 20 **shillings** dans une livre sterling et 12 **pence** dans 1 **shilling**. Depuis février 1971, la livre est divisée en 100 **new pence** (et donc shilling, couronne et demi-couronne n'ont plus cours).
5. **elderly** : *d'un certain âge ;* comparatif régulier de **old**, **older** ; comparatif irrégulier, **elder** : *le plus âgé de 2, l'aîné.*
6. **crop** : 1) *manche d'un fouet ;* 2) *récolte* (**to crop** : *tailler, tondre* et *récolter*) ; **hunting crop** : *cravache.*

— Mon Dieu, Monsieur, s'il y a quelqu'un de visible, ce sera lui, car il est toujours le premier levé. Mais le voici qui arrive, Monsieur, pour répondre lui-même à vos questions. Oh non, Monsieur, non, le laisser me voir prendre votre argent pourrait me valoir ma place... Plus tard si vous voulez ! »

Alors que Sherlock Holmes remettait dans sa poche la demi-couronne qu'il en avait tirée, un homme d'un certain âge, à l'air féroce, s'avança vers nous à grands pas, avec une cravache qu'il balançait dans sa main.

« Qu'est-ce que c'est, Dawson ? cria-t-il. Pas de bavardages ! Va t'occuper de ton travail ! Et vous... Que diable venez-vous faire par ici ?

— Dix minutes de conversation avec vous, mon bon Monsieur, lui répondit Holmes de sa voix la plus suave.

— Je n'ai pas le temps de bavarder avec n'importe quel vagabond. Nous ne voulons pas d'étrangers ici. Partez vite, ou je lâche un de mes chiens à vos trousses... »

Holmes se pencha en avant et chuchota quelque chose à l'oreille de l'entraîneur. Il sursauta violemment et rougit jusqu'aux tempes.

« C'est un mensonge ! cria-t-il. Un mensonge infernal !

— Très bien ! Allons-nous en discuter ici en public, ou irons-nous en débattre dans votre salon ?

— Oh, entrez si vous le souhaitez vraiment. »

Holmes sourit. « Je ne vous ferai pas attendre plus de quelques minutes, Watson, me dit-il. Allons-y, M. Brown, je suis à votre entière disposition. »

---

7. **to gossip :** *bavarder ;* gossip : *ragots, bavardage, potins.*
8. **▲ten minutes' talk :** emploi du génitif pour exprimer la durée (**a week's holiday :** *une semaine de vacances*), la date (**today's papers :** *les journaux d'aujourd'hui*), et la distance (**a two miles' distance :** *une distance de 2 miles*). Mais au pl., on emploie plutôt l'adj. composé, donc invariable (**a ten-minute break :** *une pause de 10 minutes*).
9. **to gad about :** *vadrouiller, courir le monde ;* a gadabout : *celui qui est toujours en voyage, d'où le vagabond.*
10. **to start :** *tressaillir, sursauter.*
11. **to flush :** *rougir, s'empourprer* (également **to blush**).
12. **temple :** *tempe,* à ne pas confondre avec temple.
13. **come in** est ici sous-entendu, comme souvent après les verbes exprimant le désir ou la volonté (**do you want to come ? yes I want to :** *... oui, je le veux*).

It was quite twenty minutes, and the reds had faded [1]
into greys before Holmes and the trainer reappeared.
Never [2] have I seen such a change as had been
brought about in Silas Brown in that short time. His
face was ashy [3] pale, beads [4] of perspiration shone
upon his brow, and his hands shook until his hunting-
crop wagged like a branch in the wind. His bullying [5],
overbearing manner was all gone too, and cringed
along [6] at my companion's side like a dog with its [7]
master.

"Your instructions will be done. It shall be done,"
said he.

"There must be no mistake," said Holmes, looking
round [8] at him. The other winced as he read the
menace in his eyes.

"Oh, no, there shall be no mistake. It shall be
there. Should I change it first or not ?"

Holmes thought a little and then burst out [9] laughing.
"No, don't" said he. "I shall write to you about it. No
tricks [10] now or —"

"Oh, you can trust me, you can trust me !"

"You must see to [11] it on the day [12] as if it were your
own."

"You can rely upon [13] me."

"Yes, I think I can. Well, you shall hear from me
tomorrow." He turned upon his heel, disregarding
the trembling hand which the other held out to him,
and we set off [14] for King's Pyland.

---

1. **to fade :** *se faner, s'estomper* (**curtains faded by the
sun :** *rideaux décolorés par le soleil*). **Into** exprime l'idée
de transformation (**to change into, to turn into…**)
2. **never** mis en relief en tête de phrase (suivi d'une
inversion auxiliaire-sujet) appartient au style littéraire. En
angl. courant, on dirait **I have never seen.**
3. **ashy :** *couleur de cendre ;* **ash :** *cendre.*
4. ⚠ **bead** [bi:d], *perle* (de verroterie, d'émail), *goutte*
(de sueur) ; mais *la perle de nacre* se dit **pearl.** Remarquez
les différentes prononciations de **ea : bead** [bi:d], **pearl**
[pɔ:l], **real** [riəl], **bear** [bɜər], **lead,** *le plomb* [led].
5. **to bully :** *intimider, brimer, malmener* (**a bully :** *un
bravache*) ; **overbearing :** *arrogant, autoritaire.*
6. **to cringe :** *se faire petit, courber l'échine ;* **along :** idée
d'avancer le long de, d'où : *le suivait servilement.*

Mon attente fut de largement vingt minutes et les rougeoiments du ciel avaient viré au gris avant que Holmes et l'entraîneur ne réapparussent. Jamais n'avais-je eu l'occasion auparavant d'assister à une transformation telle que celle apportée au visage de Silas Brown en un si court moment. Son teint était couleur de cendres, des gouttes de sueur perlaient sur son front, et ses mains tremblaient au point que sa cravache remuait comme une branche dans le vent. Ses manières de bravache arrogant avaient disparu aussi, et il suivait servilement mon compagnon comme un chien suit son maître.

« Vos instructions seront suivies. Ce sera fait, dit-il.

— Il ne doit pas y avoir d'erreur », répondit Holmes en se retournant vers lui. L'autre tressaillit devant la menace qu'il lut dans les yeux de son interlocuteur.

« Oh non, il n'y aura pas d'erreur ! Il sera là. Devrai-je le changer avant ou non ? »

Holmes réfléchit quelques instants puis éclata de rire.

« Non, n'en faites rien, lui dit-il. Je vous écrirai à ce sujet. Et pas de blagues maintenant hein, sinon...

— Oh vous pouvez me faire confiance !

— Vous devez veiller sur lui pour le jour dit comme si c'était vraiment le vôtre.

— Vous pouvez compter sur moi.

— Oui, je pense que je le peux. Bien, vous recevrez de mes nouvelles demain. » Il tourna les talons, dédaignant la main tremblante que l'autre lui tendait, et nous reprîmes le chemin de King's Pyland.

---

7. **its :** possessif neutre, le sexe du chien étant indéterminé.
8. **to look round :** 1) *se retourner pour voir ;* 2) *regarder autour de soi, faire un tour d'horizon.*
9. **to burst :** *éclater ;* **to burst out laughing :** *éclater de rire ;* **to burst into tears :** *fondre en larmes.*
10. **trick :** 1) *tour, supercherie* (c'est le cas ici) ; 2) *truc, astuce :* **the tricks of the trade :** *les ficelles du métier.*
11. **to see to :** *s'occuper de, se charger de, veiller à.*
12. **on the day :** *ce jour-là ;* le fait de s'occuper du cheval jusqu'au jour de la course est à mon avis sous-entendu.
13. **to rely upon** (ou **on**) : *compter sur, avoir confiance en.* A rapprocher de **to trust :** *se fier à ;* **trust :** *la confiance.*
14. **to set off** (ou **out**) : *se mettre en route ;* **for** introduit la destination, comme dans **to leave for :** *partir pour.*

"A more perfect compound of the bully, coward, and sneak[1] than Master Silas Brown I have seldom met with," remarked Holmes, as we trudged along together.

"He has the horse, then ?"

"He tried to bluster[2] out of it, but I described to him[3] so exactly what his actions had been upon that morning, that he is convinced that I was watching[4] him. Of course, you observed the peculiarly[5] square toes in the impressions, and that his own boots exactly corresponded to them. Again, of course, no subordinate would have dared[6] to have done such a thing. I described to him how when, according to his custom, he was the first down, he perceived a strange horse wandering over the moor ; how he went out to it, and his astonishment[7] at recognizing from[8] the white forehead which has given the favourite its name that chance had put in his power the only horse which could beat the one upon which he had put his money. Then I described how his first impulse had been to lead it back to King's Pyland, and how the devil had shown him how he could hide the horse until the race was over[9], and how he had led it back and concealed it at Capleton. When I told him every detail he gave it up, and thought only of saving his own skin."

"But his stables had been searched."

"Oh, an old horse-faker like him has many a dodge[10]."

---

1. **the bully, coward and sneak :** adjectifs pris substantivement, *le brutal, le lâche, le pleutre,* traduits ici par des noms abstraits *(la brutalité, la lâcheté...).*

2. **to bluster :** *fanfaronner, faire des rodomontades ;* out of it exprime l'idée de s'en sortir.

3. **I described to him :** contrairement aux verbes to **tell, ask, advise, beg, order, allow, force,** qui sont suivis du compl. d'obj. indirect sans préposition (I told **him** : *je lui ai dit*), les verbes tels que to **describe, suggest, explain** sont suivis du compl. d'obj. indirect introduit par to (I suggest to you : *je vous suggère*).

4. **Δ to watch :** 1) *veiller, surveiller ;* 2) *observer, regarder* qqch ou qqn en mouvement (to watch a tennis match, a show on television...). Mais to **look at** n'implique pas que l'on regarde avec une attention particulière.

« Rarement ai-je rencontré un mélange plus parfait de brutalité, de lâcheté et de pleutrerie que chez ce Mr Silas Brown ! observa Holmes alors que nous progressions tous deux à pas lents sur le chemin.

— Il a le cheval, alors ?

— Il a essayé de s'en sortir par des rodomontades, mais je lui ai décrit avec tant d'exactitude ce qu'il avait fait ce matin-là qu'il est convaincu que je le surveillais. Vous avez bien sûr remarqué dans les traces de pas que les bouts étaient bizarrement carrés, et que ses propres bottes y correspondaient exactement. De plus, aucun subordonné n'aurait bien sûr osé faire une chose pareille. Je lui ai raconté comment, selon son habitude, il était le premier descendu, il avait aperçu un cheval étrange errant sur la lande ; comment il s'en était approché, et sa stupéfaction en découvrant, d'après la liste blanche qui a donné son nom au favori, que la chance avait mis en son pouvoir le seul cheval qui pouvait battre celui sur lequel il avait placé son argent. Puis je lui ai expliqué comment son premier réflexe avait été de reconduire le cheval à King's Pyland, et comment le diable lui avait montré comment il pouvait le cacher jusqu'à la fin de la course, et comment il l'avait ramené et caché à Capleton. Quand j'eus fini de lui donner tous les détails, il abandonna la partie et ne pensa plus qu'à sauver sa peau.

— Mais ses écuries avaient été fouillées !

— Oh, un vieux maquilleur de chevaux comme lui a plus d'un tour dans son sac...

---

5. **Δ peculiar** [pi'kju:liər] : *spécial, étrange ;* peculiarly [pi'kju:liəli] : *bizarrement.*

6. **Δ (to) dare :** *oser,* employé ici au conditionnel passé comme un verbe ordinaire. Mais au présent et au prétérit, il peut se conjuguer comme un défectif ; même chose pour le semi-défectif **(to) need :** *avoir besoin de ;* **how dare you :** *comme osez-vous ;* **he daren't come :** *il n'ose pas venir.*

7. **to astonish :** *étonner ;* **to amaze** et **to surprise** ont le même sens et se construisent tous au passif avec **at : to be amazed at, astonished at, surprised at ;** de même **amazement at.**

8. **from** a ici le sens de *d'après* (**from what I know, I see :** *d'après ce que je sais, ce que je vois...*).

9. **over** a ici le sens de *fini, achevé, terminé.*

10. **dodge :** *mouvement de côté* pour éviter un coup, *ruse.*

"But are you not afraid[1] to leave the horse in his power now, since[2] he has every interest in injuring it ?"

"My dear fellow[3], he will guard it as the apple of his eye[4]. He knows that his only hope of mercy is to produce it safe."

"Colonel Ross did not impress me as a man who would be likely[5] to show much mercy in any case."

"The matter does not rest with[6] Colonel Ross. I follow my own methods, and tell as much or as little as I choose. That is the advantage of being unofficial. I don't know whether you observed it, Watson, but the Colonel's manner has been just a trifle[7] cavalier[8] to me. I am inclined[9] now to have a little amusement at his expense[10]. Say nothing to him about the horse."

"Certainly not without your permission."

"And, of course, this is all quite a minor case compared with the question of who killed John Straker."

"And you will devote yourself to that ?"

"On the contrary, we both go back to London by the night train."

I was thunderstruck[11] by my friend's words. We had only been a few hours in Devonshire, and that he should[12] give up an investigation which he had begun so brilliantly was quite incomprehensible to me. Not a word more could I draw[13] from him until we were back at the trainer's house.

---

1. **△ to be afraid :** *craindre, avoir peur de.* Verbe d'état, se construit avec **to be** en angl. et *avoir* en fr. De même **to be cold, hungry, thirsty, twenty, lucky :** *avoir froid, faim, soif, 20 ans, de la chance,* etc.
2. **since :** ici conjonction de cause (+ présent), *puisque.*
3. **fellow :** *camarade,* ici *ami* dans un sens familier. **Fellow student :** *condisciple ;* **fellow candidate :** *colistier.*
4. **apple of the eye :** *prunelle de l'œil* (se dit aussi **pupil**).
5. **likely :** (adj. ou adverbe) *vraisemblable, vraisemblablement.* **He is likely to come :** *il est probable qu'il vienne.*
6. **to rest with :** *dépendre de, incomber à*
7. **trifle :** *vétille, chose sans importance ;* ici c'est une locution adverbiale que l'on traduit par *un tant soit peu.*
8. **cavalier :** (forme désuète) *cavalier, désinvolte ;* se dit

— Mais ne craignez-vous pas de laisser le cheval en son pouvoir à présent, puisqu'il a tout intérêt à ce qu'il soit blessé ?

— Mon cher ami, il veillera sur lui comme sur la prunelle de ses yeux ! Il sait que son seul espoir de pardon est de le présenter intact.

— Le colonel Ross ne m'a pas donné l'impression d'être un homme très enclin à pardonner en quelque occasion que ce soit.

— Le problème n'est pas du ressort du colonel Ross. Je suis mes méthodes personnelles et j'en dis aussi long ou aussi peu qu'il me plaît. C'est là l'avantage de travailler à titre privé. Je ne sais pas si vous l'avez remarqué, Watson, mais les manières du colonel ont été un tant soit peu cavalières à mon égard. J'ai bien envie maintenant de m'amuser un peu à ses dépens. Ne lui dites rien à propos du cheval.

— Certainement pas sans votre permission.

— Et bien sûr, tout ceci est d'une importance moindre par rapport à la question de savoir qui a tué John Straker.

— Et vous allez maintenant vous consacrer à ce problème ?

— Au contraire, nous rentrons tous les deux à Londres par le train de nuit. »

Je fus abasourdi par la réponse de mon ami. Nous n'avions passé que quelques heures dans le Devonshire, et qu'il abandonne une enquête si brillamment commencée était pour moi complètement incompréhensible. Je ne parvins pas à lui soutirer un seul mot de plus avant que nous ne soyons de retour à la maison de l'entraîneur.

---

plutôt aujourd'hui, **unembarrassed, cheeky, offhand.** Le *cavalier* qui monte à cheval se dit **rider.**

9. **to be inclined :** *être enclin à, avoir envie de.*

10. **expense :** *dépense, frais ;* **at his expense :** *à ses dépens.*

11. **thunderstruck :** adj. composé nom + p. passé (**to strike (struck, struck)** : *frapper*), **thunderstruck,** m. à m. : *frappé par le tonnerre,* d'où *abasourdi, tombé des nues.*

12. ⚠ **should :** auxiliaire du subjonctif ; après des expressions de nécessité (**it is necessary, important**), de regret (**it is a pity**), de surprise (**it is incredible**), qui sont suivies de **that,** et les expressions d'incompréhension (**I don't see why**) on emploie le subjonctif (**should** + infinitif sans **to**).

13. inversion de style soutenu avec la négation en tête.

The Colonel and the Inspector were awaiting us in the parlour[1].

"My friend and I return to town by the midnight express," said Holmes. "We have had a charming little breath[2] of your beautiful Dartmoor air[3]."

The Inspector opened his eyes, and the Colonel's lips curled[4] in a sneer[5].

"So you despair of arresting the murderer of poor Straker," said he.

Holmes shrugged[6] his shoulders. "There are certainly grave difficulties in the way," said he. "I have every hope, however, that your horse will start upon Tuesday, and I beg that you will have your jockey in readiness[7]. Might[8] I ask for a photograph of Mr John Straker ?"

The Inspector took one from an envelope in his pocket and handed it to him.

"My dear Gregory, you anticipate all my wants[9]. If I might ask you to wait here for an instant, I have a question which I should like to put to the maid[10]."

"I must say that I am rather disappointed in our London consultant," said Colonel Ross, bluntly[11], as my friend left the room. "I do not see that we are any further than when he came."

"At least, you have his assurance[12] that your horse will run," said I.

"Yes, I have his assurance," said the Colonel, with a shrug of his shoulders.

---

1. **parlour** : *parloir* (d'un couvent) ; emploi désuet (en G.B.) pour *salon,* qui se dit aujourd'hui **drawing room, sitting room.** Mais aux U.S.A., **parlour** (ou **parlor**) s'emploie encore souvent ; **beauty parlor** : *salon de beauté.*

2. △ **breath** [breθ] : *souffle, haleine ;* mais **to breathe** [bri:ð] : *respirer, souffler.*

3. m. à m. : *nous avons eu une charmante petite bouffée de votre merveilleux air de Dartmoor ;* le ton est très ironique.

4. **to curl** : *boucler ; se relever* ou *s'abaisser* (lèvres).

5. **to sneer** [sniər] : *sourire avec mépris ;* **to sneer at** : *se moquer de, ricaner de.*

6. **to shrug one's shoulders** : *hausser les épaules ;* au prétérit la consonne finale double **(to beg, begged** ; **to drop, dropped...).**

Le colonel et l'inspecteur nous attendaient dans le salon.

« Mon ami et moi rentrons en ville par l'express de minuit, déclara Holmes. Nous avons bien profité de votre merveilleux air de Dartmoor. »

L'inspecteur nous regarda avec des yeux ronds et le colonel sourit d'un air sarcastique.

« Ainsi vous désespérez de pouvoir arrêter le meurtrier du pauvre Straker ? » dit-il.

Holmes haussa les épaules. « Il existe certainement de gros obstacles pour y parvenir, répondit-il. J'ai pourtant bon espoir que votre cheval sera au départ de la course mardi prochain et je vous demande instamment de tenir prêt votre jockey. Pourrais-je vous demander une photographie de Mr John Straker ? »

L'inspecteur en prit une dans une enveloppe qu'il tira de sa poche et la lui tendit.

« Mon cher Gregory, vous anticipez tous mes désirs. Pourrais-je vous demander de m'attendre ici un instant ? J'ai une question que j'aimerais poser à la bonne.

— Je dois avouer que je suis plutôt déçu par notre conseiller de Londres, déclara le colonel Ross brusquement dès que mon ami eut quitté le salon. Je ne vois pas en quoi nous sommes plus avancés qu'avant son arrivée ici.

— Au moins, vous avez l'assurance que votre cheval courra ! répondis-je.

— Oui, j'ai son assurance, fit le colonel avec un haussement d'épaules.

---

7. **to have (hold, keep) in readiness** : *tenir prêt.*

8. **might** : (prétérit de **may**) utilisé à la place de **can** pour demander poliment une permission ; **might** insiste sur le ton déférent ironique de Holmes (rendu ici par un conditionnel).

9. **want** : 1) *besoin, désir* (c'est le sens ici) ; 2) *manque* (**for want of** : *par manque de* ; **to be in want** : *être dans la gêne, dans le besoin*).

10. **maid** : *domestique, bonne* ; **an old maid** : *une vieille fille* ; **maiden** : *jeune fille, vierge* (peu usité) ; **maiden name** : *nom de jeune fille* ; **maiden speech** : *1er discours officiel* d'un député ; **maiden flight** ; *vol inaugural.*

11. **blunt** : *émoussé* (pour une lame) ; *brusque, carré* (pour une personne) ; **the blunt fact** : *le fait brutal* ; **bluntly** : *brusquement, carrément.*

12. **assurance** : *assurance, fermeté, aplomb.*

"I should prefer to have the horse."

I was about to [1] make some reply in defence of my friend, when he entered the room again.

"Now, gentleman," said he, "I am quite ready for Tavistock."

As we stepped [2] into the carriage one of the stable lads held the door open for us. A sudden idea seemed to occur [3] to Holmes, for he leaned forward and touched the lad upon the sleeve.

"You have a few sheep [4] in the paddock," he said. "Who attends to [5] them ?"

"I do [6], sir."

"Have you noticed anything amiss [7] with them of late ?"

"Well, sir, not of much account ; but three of them have gone lame [8], sir."

I could see that Holmes was extremely pleased, for he chuckled [9] and rubbed his hands together.

"A long shot [10], Watson ; a very long shot !" said he, pinching my arm. "Gregory, let me recommend [11] to your attention this singular epidemic among the sheep. Drive on, coachman !"

Colonel Ross still wore [12] an expression which showed the poor opinion which he had formed of my companion's ability, but I saw by the Inspector's face that his attention had been keenly [13] aroused [14].

"You consider that to be important ?" he asked.

"Exceedingly so."

---

1. **to be about to :** *être sur le point de ;* exprime un futur proche plus précis que **to be going to,** mais sans idée d'intention. Ne pas confondre avec **to be** qui exprime une action future décidée, convenue (**we are to leave at 5 :** *nous devons partir à 5 heures*).

2. **to step :** *faire un pas ; monter une marche.*

3. **to occur :** *survenir, avoir lieu ;* **it occurs to me that :** *il me vient à l'esprit que.*

4. **sheep :** *mouton* (invariable au pl.).

5. **to attend to :** *s'occuper de, prêter attention à , servir* (dans une boutique, **are you being attended to ?** *est-ce qu'on s'occupe de vous ?*) ; mais **to attend school :** *fréquenter l'école.*

6. **I do, sir :** réponse brève sous-entendant **I attend to the sheep.** On peut également souligner **I** pour insister.

— Je préférerais avoir le cheval ! »

J'étais sur le point de répliquer quelque chose pour défendre mon ami, quand il rentra à nouveau dans la pièce.

« Maintenant, messieurs, je suis tout à fait prêt à repartir pour Tavistock », annonça-t-il.

Pendant que nous montions dans la voiture, l'un des valets d'écurie nous tint la porte ouverte. Une idée soudaine sembla venir à l'esprit de Holmes, car il se pencha en avant et posa la main sur la manche du lad.

« Vous avez là quelques moutons dans l'enclos, dit-il. Qui s'occupe d'eux ?

— C'est moi, Monsieur.

— Avez-vous remarqué quelque chose de bizarre chez eux récemment ?

— Eh bien, Monsieur, rien de très important ; mais il y en a trois qui se sont mis à boiter, Monsieur. »

Je pus voir que Holmes était extrêmement content, car il se mit à rire sous cape et se frotta les mains.

« Un joli coup, Watson, et parti de très loin ! me dit-il en me pinçant le bras. Gregory, permettez-moi de recommander à votre attention cette singulière épidémie parmi les moutons. Allez-y, cocher ! »

Le colonel Ross arborait toujours sur son visage une expression qui montrait la piètre opinion qu'il s'était formée des capacités de mon compagnon, mais je vis sur la figure de l'inspecteur l'éveil d'un vif intérêt.

« Vous considérez que ce fait est important ? demanda-t-il.

— Excessivement important.

---

7. **amiss** : *de travers, qui cloche* (on dirait aussi **wrong**).
8. **lame** : *boiteux* ; **to go** a parfois le sens de *devenir* : **to go lame** : *se mettre à boiter* ; **to go mad** : *devenir fou.*
9. **to chuckle** : *rire sous cape, glousser* (pour les poules).
10. **a shot** : *un coup de feu* (ici, idée de deviner au hasard, de faire mouche).
11. **Δ let me recommend** : *permettez-moi de recommander* ; **let** + complément + inf. sans **to** exprime la permission (**to let** : *laisser*), et non l'impératif.
12. **to wear (wore, worn)** : *porter* un vêtement mais aussi une expression (**to wear a smile** : *arborer un sourire*).
13. **keenly** : *vivement ;* **keen** : *aiguisé, ardent, perçant* ; **to be keen on** : *être passionné de, enthousiaste pour.*
14. m. à m. : *que son attention avait été éveillée.*

"Is there any other point to which you would wish to draw my attention ?"

"To the curious incident of the dog in the night-time [1]."

"The dog did nothing in the night-time."

"*That* [2] was the curious incident," remarked Sherlock Holmes.

Four days later Holmes and I were again in the train bound for [3] Winchester, to see the race for the Wessex Cup. Colonel Ross met us, by appointment [4], outside the station, and we drove in his drag [5] to the course beyond [6] the town. His face was grave and his manner was cold in the extreme.

"I have seen nothing of my horse," said he.

"I suppose that you would know [7] him when you saw him [8] ?" asked Holmes.

The Colonel was very angry. "I have been on the turf [9] for twenty years, and never was asked [10] such a question as that before," said he. "A child would know Silver Blaze with his white forehead [11] and his mottled [12] off [13] foreleg."

"How is the betting [14] ?"

"Well, that is the curious part of it. You could have got fifteen to one yesterday, but the price has become shorter and shorter, until you can hardly get three to one now."

"Hum !" said Holmes.

---

1. **in the night-time :** *pendant la nuit ;* **at night :** *la nuit ;* mais **in the morning, afternoon, evening :** *le matin, l'après-midi, le soir.*
2. **that :** accentué, rendu par le fr. *c'est bien cela, voilà bien.* Cette réponse est un « sherlockisme » célèbre.
3. **bound for :** *en partance pour, à destination de ;* vient du verbe **to bind (bound, bound) :** *lier, attacher.* Autre expression formée avec le même verbe, **to be bound to :** *être obligé de.*
4. **appointment :** *rendez-vous* (**to make an appointment :** *prendre rendez-vous*). Également *nomination, désignation* (**by appointment to Her (His) Majesty :** *fournisseur de sa Majesté*).
5. **drag :** *drag,* berline anglaise à 4 chevaux avec plusieurs rangs de banquettes. **To drag (dragged) :** *tirer, traîner.*
6. **beyond :** *au-delà,* sens concret et abstrait ; **beyond**

— Y a-t-il un autre point sur lequel vous souhaiteriez attirer mon attention ?

— Sur le curieux incident du chien pendant la nuit.

— Le chien n'a rien fait de spécial pendant la nuit ?

— C'est bien là le curieux incident ! » fit observer Sherlock Holmes.

Quatre jours plus tard, Holmes et moi étions dans le train à destination de Winchester, pour assister à la course de la Wessex Cup. Le colonel Ross nous retrouva, sur rendez-vous, à l'extérieur de la gare, et il nous emmena dans son drag au champ de courses hors de la ville. Son visage était grave et son comportement d'une extrême froideur.

« Je n'ai toujours pas vu mon cheval, nous dit-il.

— Je suppose que vous le reconnaîtriez si vous le voyiez ? » lui demanda Holmes.

Le colonel était furieux. « Cela fait vingt ans que je fréquente les champs de courses, et jamais on ne m'a posé une question pareille ! déclara-t-il. Un enfant reconnaîtrait Flamme d'argent avec sa liste blanche et sa jambe avant extérieure pommelée !

— Où en sont les cotes ?

— Eh bien, voilà le curieux de l'histoire. Vous pouviez avoir du quinze contre un hier encore, mais l'écart s'est réduit de plus en plus, et maintenant on peut à peine obtenir du trois contre un !

— Hum ! fit Holmes.

---

doubt : *hors de doute ;* beyond question : *incontestable.*
7. **to know (knew, known) :** *connaître ; reconnaître.*
8. **when you saw :** dans une subordonnée introduite par une conjonction de temps **(when, while, as soon as...)**, l'emploi du prétérit exprime l'idée de conditionnel *(au cas où vous le verriez).* **When** aurait pu être ici remplacé par **if.**
9. **turf :** ici, *les champs de courses, le monde des courses.*
10. **never was asked :** inversion de style soutenu ; la forme passive est rendue par la forme impersonnelle « on ».
11. **forehead :** *le front* (pour un cheval, *la liste*) ; **foreleg :** *la jambe avant* ou *antérieure ;* **forearm :** *l'avant-bras.*
12. **mottled :** *tacheté, pommelé, marbré, chiné* (laine).
13. **off leg :** *jambe extérieure* du cheval (correspondant au côté extérieur de la piste) ; **the off side,** en voiture, est *le côté droit* (le plus loin du conducteur).
14. **the betting :** *les paris,* d'où *la cote.*

"Somebody knows something, that is clear !"

As the drag drew up[1] in the enclosure near the grand-stand[2], I glanced at[3] the card[4] to see the entries. It ran[5] :

Wessex[6] Plate[7]. 50 sovs[8]. each, h ft[9], with 1,000 sovs. added, for four — and five — years old. Second £ 300. Third £ 200. New course (one mile and five furlongs).

1. Mr Heath Newton's The Negro[10] (red cap[11], cinnamon[12] jacket).

2. Colonel Wardlaw's Pugilist (pink cap, blue and black jacket).

3. Lord Blackwater's Desborough (yellow cap and sleeves).

4. Colonel Ross's Silver Blaze (black cap, red jacket).

5. Duke of Balmoral's Iris (yellow and blak stripes).

6. Lord Singleford's Rasper (purple cap, black sleeves).

"We scratched[13] our other one and put all hopes on your word," said the Colonel. "Why, what is that ? Silver Blaze favourite ?"

"Five to four against Silver Blaze !" roared the ring[14]. "Five to four against Silver Blaze ! Fifteen to five against Desborough ! Five to four on the field !"

"There are the numbers up[15]," I cried. "They are all six there."

---

1. **to draw up** : *s'arrêter, se ranger* (pour un véhicule) mais aussi *approcher qqch* (**to draw up a chair**).

2. **grand** [grænd] : *grand* au sens abstrait de grandiose ; **grand-stand** : *tribune d'honneur*. ▲ *un grand homme* se dit **a great man** ; mais *un homme grand* se dit **a big (tall) man**.

3. **to glance at** : *jeter un coup d'œil à*. Noter la préposition **at** après les verbes de regard : **to look at, to stare at** *(regarder fixement) ;* **to wink at** *(faire un clin d'œil)* etc.

4. **card** : ici, *le tableau* du programme des courses.

5. **to run** : souvent utilisé pour annoncer la teneur d'un message ; **the telegram ran** : *le télégramme disait (était libellé).*

6. **Wessex** : ancien royaume saxon du sud de l'Angleterre (IXe siècle). L'auteur a sans doute repris ce nom qui s'apparente à ceux des comtés contemporains de l'est et du sud de l'Angleterre, l'Essex et le Sussex.

7. **plate** : *coupe* donnée en prix (dans une course de chevaux).

Quelqu'un sait quelque chose, c'est sûr ! »

Quand le drag s'arrêta dans l'enclos près de la grande tribune, je jetai un coup d'œil au tableau pour voir le nom des partants. On pouvait y lire :

Coupe du Wessex : 50 souverains chacun, avec en prime 1.000 souverains au premier. Pour chevaux de 4 et 5 ans. 300 livres au deuxième, 200 livres au troisième. Nouveau parcours (2.614 mètres).
1. Le Noir à Mr. Heath Newton,
toque rouge, casaque cannelle.
2. Pugiliste au Colonel Wardlaw,
toque rose, casaque bleu et noir.
3. Desborough à Lord Blackwater,
toque jaune, manches jaunes.
4. Flamme d'argent au Colonel Ross,
toque noire, casaque rouge.
5. Iris au duc de Balmoral,
bandes jaune et noir.
6. Rasper à Lord Singleford,
toque violette, manches noires.

« Nous avons retiré notre autre cheval et placé tous nos espoirs sur votre parole, dit le colonel. Ça alors ! Que se passe-t-il ? Flamme d'argent est favori ?

— Flamme d'argent à cinq contre quatre ! rugissaient les bookmakers. Cinq contre quatre pour Flamme d'argent ! Desborough à quinze contre cinq ! Cinq contre quatre sur le champ !

— Ils sont sous les ordres ! m'écriai-je. Ils sont là tous les six !

---

8. **sovs :** mis pour **sovereigns**, pièces d'or de 1 livre.

9. **h ft :** abréviation de **head first**, au premier dont la tête a franchi la ligne d'arrivée.

10. **negro :** *noir ;* **the negro race = the black race :** *la race noire ;* **nigger :** *nègre* (terme péjoratif et insulte).

11. **cap :** s'emploie pour toutes sortes de coiffures, bonnet, casquette, toque de magistrat ou de jockey.

12. **cinnamon :** *cannelle* (l'épice), *couleur cannelle.*

13. **to scratch :** *gratter ;* **to scratch a horse :** *déclarer forfait pour un cheval, le retirer de la course.*

14. **ring :** *cercle, anneau.* Ici, *enceinte de pesage* où se tiennent les preneurs de paris (**bookmakers** ou **bookies**).

15. expression du turf voulant dire que les numéros sont affichés et que les chevaux sont au départ.

"All six there ! Then my horse is running," cried the Colonel in great agitation. "But I don't see him. My colours have not passed."

"Only five have passed. This must be he [1]."

As I spoke [2] a powerful bay horse swept [3] out from the weighing enclosure [4] and cantered [5] past us, bearing on its back the well-known [6] black and red of the Colonel.

"That's not my horse," cried the owner. "That beast [7] has not a white hair [8] upon its body. What is this that you have done, Mr Holmes ?"

"Well, well, let us see how he gets on [9]," said my friend imperturbably. For a few minutes he gazed through my field-glass. "Capital ! an excellent start !" he cried suddenly. "There they are, coming round the curve !"

From our drag we had a superb view as they came up the straight [10]. The six horses were so close together that a carpet could have covered them [11], but half-way up the yellow of the Capleton stable showed to the front. Before they reached us, however, Desborough's bolt [12] was shot, and the Colonel's horse, coming away with a rush, passed the post a good six lengths before its rival, the Duke of Balmoral's Iris making a bad third.

"It's my race anyhow," gasped the Colonel, passing his hands over his eyes. "I confess that I can make neither head nor tail of it [13].

---

1. **▲ this must be he :** emploi du pronom personnel complément au nominatif après to be. Mais en angl. familier, on emploie plutôt l'accusatif (it's me : *c'est moi ;* was it her ? *était-ce elle ?*). Cependant ceci est impossible lorsque le pronom est suivi d'une proposition (it is **he who pays** : *c'est lui qui paye).*

2. **as I spoke :** m. à m. : *tandis que je parlais.*

3. **to sweep (swept, swept) :** 1) *balayer ;* 2) *s'étendre, avancer d'un mouvement rapide ;* implique souvent un geste large, circulaire, majestueux.

4. **weighing enclosure :** *enclos où l'on pèse les chevaux.*

5. **to canter :** *aller au petit galop ;* **past** après un verbe de mouvement ajoute l'idée de passer devant (**to run past** : *passer en courant ;* **to march past** : *défiler.*

6. **well-known :** *bien connu ;* structure fréquente **well** + p. passé, **well-fed** : *bien nourri ;* **well educated** : *bien*

— Tous les six ! Alors mon cheval court ! s'exclama le colonel très agité. Mais je ne le vois pas. Mes couleurs n'ont pas défilé.

— Cinq seulement sont passés. Ce doit être lui. »

A ce moment-là un puissant cheval bai surgit brusquement de l'enceinte du pesage et passa au petit galop près de nous, revêtu des célèbres couleurs noire et rouge du colonel.

« Ce n'est pas mon cheval ! s'écria le propriétaire. Cet animal-là n'a pas un poil blanc sur le corps. Qu'avez-vous donc fait, Monsieur Holmes ?

— Allons, allons, voyons comment il se comporte, » répondit mon ami sans s'émouvoir. Pendant quelques minutes, il observa la course sans bouger avec mes jumelles. « Capital ! Un excellent départ ! cria-t-il soudain. Les voilà qui arrivent, ils abordent le virage ! »

De notre drag, nous avions une vue magnifique sur la ligne droite qu'ils entamaient. Les six chevaux étaient si proches les uns des autres qu'ils ne formaient plus qu'un seul bloc. Mais à mi-distance, les couleurs jaunes de l'écurie de Capleton passèrent en tête. Avant qu'ils n'arrivent à notre niveau, l'échappée de Desborough fut cependant brisée et le cheval du colonel, se détachant par une pointe de vitesse, passa le poteau avec six bonnes longueurs d'avance sur ses rivaux, alors qu'Iris au duc de Balmoral, finissait mauvais troisième.

« C'est quand même moi le vainqueur ! haleta le colonel en se frottant les yeux de surprise. Je dois avouer que je n'y comprends plus rien.

éduqué.

7. **beast :** *bête, animal ;* contrairement à **animal, beast** peut s'employer au sens figuré (**what a beast !** *quel abruti !*).

8. **hair :** *les cheveux,* sing. collectif. Mais **a hair :** *un cheveu, un poil,* peut s'employer au pluriel (**to split hairs :** *couper les cheveux en quatre*).

9. **to get on :** *progresser, réussir, s'avancer vers.*

10. **the straight :** *les dernières centaines de mètres avant le poteau d'arrivée, le finish ;* **straight :** *droit, rectiligne.*

11. m. à m. : *qu'un tapis aurait pu les couvrir (dans un mouchoir de poche).*

12. **bolt :** *une échappée ;* **to shoot (shot, shot) :** *tirer, s'élancer ;* **to shoot one's bolt :** *fournir son effort maximal, faire une échappée.*

13. m. à m. : « *c'est une histoire sans queue ni tête* ».

Don't you think that you have kept up [1] your mystery long enough [2], Mr Holmes ?"

"Certainly, Colonel. You shall [3] know everything. Let us all go round and have a look at the horse together. Here he is," he continued, as we made our way [4] into the weighing enclosure where only owners and their friends find admittance. "You have only to wash his face and his leg in spirits of wine [5] and you will find that he is the same old [6] Silver Blaze as ever."

"You take my breath away !"

"I found him in the hands of a faker, and took the liberty of running [7] him just as he was sent over."

"My dear sir, you have done wonders [8]. The horse looks very fit [9] and well. It never went better in its life. I owe you a thousand apologies for having doubted your ability. You have done me a great service [10] by recovering [11] my horse. You would do me greater still [12] if you could lay your hands on the murderer of John Straker."

"I have done so [13]," said Holmes quietly.

The Colonel and I stared at him in amazement. "You have got him ! Where is he, then ?"

"He is here."

"Here ! Where ?"

"In my company at the present moment."

The Colonel flushed angrily.

---

1. **to keep (kept) up :** *maintenir, conserver ;* to keep up with : *avancer de front avec, suivre,* et même *rivaliser avec qqn.*
2. **long enough :** *suffisamment longtemps ;* noter la position de **enough** après l'adj. ou l'adverbe ; mais avant le nom (**I have enough money :** *j'ai suffisamment d'argent*).
3. **you shall :** remplace **you will ;** suggère ici une promesse formelle faite par la personne qui parle (ici, Holmes).
4. **to make one's way into :** *pénétrer dans.* Noter l'emploi de l'adj. possessif devant **way**, rendu parfois en fr. par un verbe réfléchi (comme pour les parties du corps) ; **I made my way :** *je me suis frayé un chemin.*
5. **spirit :** *esprit, humeur ;* **spirits :** *spiritueux, alcools ;* **spirit** (ou **spirits**) **of wine :** *esprit de vin, alcool éthylique.*
6. **old :** employé ici comme un terme d'affectueuse familiarité.

Ne trouvez-vous pas que vous avez gardé le secret suffisamment longtemps, monsieur Holmes ?

— Certainement, colonel. Vous allez tout savoir. Faisons le tour et allons voir le cheval tous ensemble. Le voilà ! ajouta-t-il, alors que nous entrions dans l'enclos du pesage où seuls étaient admis les propriétaires et leurs amis. Vous n'avez plus qu'à lui laver la tête et la jambe à l'esprit de vin et vous découvrirez que c'est le même Flamme d'argent qu'auparavant.

— Vous me coupez le souffle !

— Je l'ai trouvé entre les mains d'un truqueur et j'ai pris la liberté de le faire courir sous l'aspect qu'il avait à son arrivée ici.

— Mon cher Monsieur, vous avez fait des merveilles ! Le cheval semble en pleine forme. Il n'a jamais si bien couru de toute sa vie. Je vous dois mille excuses pour avoir mis en doute vos capacités. Vous m'avez rendu un très grand service en retrouvant mon cheval. Vous m'en rendriez un plus grand encore si vous pouviez mettre la main sur l'assassin de John Straker.

— C'est fait », répondit Holmes calmement.

Le colonel et moi, nous le regardâmes tout abasourdis.

« Vous l'avez trouvé ! Où est-il, alors ?

— Il est ici.

— Ici ! Où ?

— A côté de moi, en ce moment même. »

Le colonel devint rouge de colère.

---

7. **to run a horse :** *faire courir un cheval ;* to **run a business** : *diriger, gérer une affaire.*

8. **wonder :** *étonnement, surprise, émerveillement ;* to **wonder at :** *s'émerveiller de,* mais to **wonder if** : *se demander si.*

9. **fit** : *convenable, en forme ;* **fit for the job** : *apte à ce travail ;* fit for nothing : *bon à rien ;* fit + infinitif : *bon à, propre à* (fit to eat, to drink : *mangeable, buvable*).

10. **to do someone a service :** *rendre service à qqn* (à rapprocher de **to do a favour to someone**).

11. **to recover :** *recouvrer, retrouver* qqch de perdu (**by** + gérondif, généralement rendu par *en* + p. présent).

12. **greater still** = **even greater** : *encore plus grand.*

13. **so :** renvoie ici à *mettre la main sur l'assassin.*

"I quite recognize that I am under obligations to [1] you, Mr Holmes," said he, "but I must regard [2] what you have just said as either [3] a very bad joke or an insult."

Sherlock Holmes laughed. "I assure you that I have not associated you with the crime, Colonel," said he ; "the real murderer is standing immediately behind you !"

He stepped past and laid his hand upon the glossy [4] neck of the thouroughbred [5].

"The horse !" cried both the Colonel and myself.

"Yes, the horse. And it may lessen [6] his guilt if I say that it was done in self-defence, and that John Straker was a man who was entirely unworthy [7] of your confidence. But there goes the bell [8] ; and as I stand [9] to win a little on this next race, I shall defer [10] a more lengthy explanation until a more fitting time."

We had the corner of a Pullman car to ourselves that evening as we whirled back to London, and I fancy [11] that the journey [12] was a short one to Colonel Ross as well as to myself, as we listened to our companion's narrative of the events which had occurred at the Dartmoor training stables upon that Monday night, and the means by which he had unravelled [13] them.

---

1. **to be under obligation to** : *devoir de la reconnaissance à* ; style soutenu (en angl. courant, **to be obliged to**).
2. **to regard as** : *considérer comme* ; **regard** : *considération* ; **my best regards** : *mon meilleur souvenir, toutes mes amitiés.*
3. **either** ['aiðər] ou ['iðər] en américain ; **either... or** : *soit... soit ;* ne pas confondre avec **either** : *n'importe lequel* de 2 éléments ; ou **either** en fin de phrase négat. = *non plus.*
4. **gloss** : *lustre, vernis, brillant* (**lip gloss** : *brillant à lèvres*) ; d'où **glossy** : *lustré, poli.*
5. **thoroughbred** : *pur-sang, de pure race ;* vient de **to breed** (**bred, bred**) : *engendrer, élever* (**well bred** : *bien élevé ;* **town bred** : *élevé à la ville*), et de **thorough** : *complet, vrai.*
6. **it may lessen** : emploi de **may** à la place de **will** pour nuancer l'affirmation, rendu en fr. par *peut-être* + futur.

« Je reconnais que je vous dois beaucoup, monsieur Holmes, mais je dois avouer que je considère ce que vous venez de dire soit comme une très mauvaise plaisanterie, soit comme une insulte. »

Sherlock Holmes se mit à rire. « Je vous assure que je ne vous ai nullement associé au crime, colonel ! dit-il. Le véritable assassin se tient juste derrière vous ! »

Il fit un pas en avant et posa sa main sur le cou lustré du pur-sang.

« Le cheval ! m'écriai-je, de concert avec le colonel.

— Oui, c'était lui. Et sa culpabilité sera peut-être atténuée si je vous dis qu'il a agi en état de légitime défense, et que John Straker était un homme totalement indigne de votre confiance. Mais voilà la cloche ; et comme je tiens à gagner un peu d'argent dans la course suivante, je vous donnerai une explication plus complète de l'affaire à un moment mieux choisi. »

Nous étions tranquillement installés dans le coin d'une voiture Pullman ce soir-là, alors que le train filait vers Londres, et j'imagine que le voyage parut aussi court au colonel qu'à moi ; car nous écoutâmes notre compagnon nous raconter les événements qui s'étaient déroulés dans les écuries d'entraînement de Dartmoor, cette fameuse nuit du lundi au mardi, et les moyens grâce auxquels il avait éclairci le mystère.

---

7. **unworthy** : *indigne* ; **worthy** : *digne, estimable* ; **the worth of sth** : *la valeur de qqch* ; **to be worth** + nom (ou gérondif) : *valoir* ; **it's worth 10 pounds** : *cela vaut 10 livres* ; **it's worth seeing this film** : *cela vaut la peine de voir ce film* ; **worthwhile** : *qui vaut l'effort, le coup.*
8. **▲the bell goes** : *la cloche sonne.* Noter ici l'inversion **there** ou **here** + verbe + sujet (excepté si le sujet est un pronom) ; **here come the children** : mais, **here they come.**
9. **to stand (stood, stood)** : ici, *se trouver en position de* ; **to stand to win** : *risquer, avoir des chances de gagner.*
10. **to defer** [di'fə:r] = **to postpone** : *remettre à plus tard.*
11. **to fancy** : *s'imaginer, se figurer*
12. **journey** : *voyage, trajet, parcours.*
13. **to unravel** : *démêler* un écheveau, *élucider* un mystère ; **to ravel** : *enchevêtrer, embrouiller* (concret et abstrait).

"I confess[1]," said he, "that any theories which I had formed from the newspaper reports were entirely erroneous. And yet there were indications there[2], had they not been overlaid[3] by other details which concealed[4] their true import[5]. I went to Devonshire with the conviction that Fitzroy Simpson was the true culprit[6], although, of course, I saw that the evidence[7] against him was by no means[8] complete.

"It was while I was in the carriage, just as we reached the trainer's house, that the immense significance of the curried mutton occurred to me. You may remember that I was distrait[9], and remained sitting[10] after you had all alighted[11]. I was marvelling in my own mind how I could possibly have overlooked so obvious a clue[12]."

"I confess," said the Colonel, "that even now I cannot see how it helps us."

"It was the first link in my chain of reasoning. Powdered opium is by no means tasteless[13]. The flavour is not disagreeable, but it is perceptible. Were it mixed with any ordinary dish, the eater would undoubtedly detect it, and would probably eat no more. A curry was exactly the medium which would disguise this taste.

---

1. **to confess** : *avouer, reconnaître, admettre ; se confesser ;* to confess to having done sth : *se confesser de qqch.*
2. **there were indications there** : *il y avait là des indications ;* le 1ᵉʳ there fait partie de l'expression **there is (there are)**, there was (there were), *il y a, il y avait ;* le 2ᵉ there est l'adverbe *là.* L'anglais accepte ces répétitions.
3. **to overlay (overlaid)** + **with** ou **by** : *recouvrir de.*
4. **to conceal** : *cacher, dissimuler, tenir secret ;* to conceal one's intentions : *masquer ses intentions. Cacher* se dit également **to hide (hid, hidden).**
5. **import** : ici, *signification, importance* (désuet) ; on dirait aujourd'hui **importance** en angl. moderne, **import** = *importation.*
6. **the culprit** : *le coupable.* Mais *coupable* (adj.), se dit **guilty** (to plead guilty or not guilty).

« Je vous avoue, commença-t-il, que toutes les théories que j'avais élaborées d'après les comptes rendus de journaux se révélèrent totalement erronées. Et pourtant, il y avait là des indications, si elles n'avaient pas été ensevelies sous d'autres détails, qui masquaient leur véritable importance. J'allai dans le Devonshire avec la conviction que Fitzroy Simpson était le vrai coupable, bien que, naturellement, je me rendisse compte que les preuves contre lui n'étaient en aucun cas suffisantes.

« Ce fut lorsque je me trouvai dans la voiture, juste quand nous arrivâmes à la maison de l'entraîneur, que m'apparut l'immense signification du mouton au curry. Peut-être vous souvenez-vous que je parus distrait, et que je restai assis après que vous fûtes tous descendus de voiture. J'étais en train de me demander comment j'avais pu négliger un indice aussi évident.

— J'avoue, interrompit le colonel, que même à présent je ne vois pas du tout en quoi cela nous aide.

— Ce fut le premier maillon dans ma chaîne de raisonnement. L'opium en poudre n'est en aucun cas insipide. Son goût n'est pas désagréable mais il est perceptible. S'il était mélangé à un plat ordinaire, le consommateur le détecterait sans aucun doute et n'en mangerait probablement plus. Un plat au curry était exactement ce qu'il fallait pour dissimuler ce goût.

---

7. ▲ **evidence :** toujours au sing., *preuve(s), témoignage ;* to give evidence : *témoigner.*
8. **by no means :** *en aucune façon, en aucun cas ;* **by all means :** *de toutes manières* (également exclamatif, *mais comment donc !*).
9. **distrait :** peu usité, on dirait plutôt **inattentive, absent-minded.**
10. **to remain sitting :** *rester assis ;* emploi du gérondif après les verbes de début, continuité et fin d'action.
11. **to alight :** *descendre de voiture* (tournure littéraire).
12. **so obvious a clue :** *un indice aussi évident* (style littéraire) ; en angl. courant, on dirait **such an obvious clue.**
13. **tasteless :** *insipide, sans goût ;* **less,** suffixe privatif (**penniless :** *sans le sou;* **pityless :** *sans pitié, impitoyable*).

By no possible supposition could this stranger, Fitzroy Simpson, have caused curry to be served [1] in the trainer's family that night ; and it is surely too monstrous a coincidence [2] to suppose that he happened to come along with powdered opium upon the very [3] night when a dish happened to be served which would disguise the flavour. That is unthinkable [4]. Therefore Simpson becomes eliminated from the case, and our attention centres upon Straker and his wife, the only two people who could have chosen curried mutton for supper that night. The opium was added [5] after the dish was set aside for the stable boy [6], for the others had the same supper with no ill effects. Which [7] of them, then, had access to that dish without the maid seeing them [8] ?

"Before deciding [9] that question I had grasped [10] the significance of the silence of the dog, for one true inference invariably suggests others. The Simpson incident had shown me that a dog was kept [11] in the stables, and yet, though someone had been in and had fetched out a horse, he had not barked enough to arouse the two lads in the loft. Obviously the midnight visitor was someone whom [12] the dog knew well.

"I was already convinced, or almost convinced, that John Straker went down to the stables in the dead of the night [13] and took out Silver Blaze.

---

1. m.à m. : *aurait pu faire que du curry soit servi.*
2. **too monstrous a coincidence :** notez la place de l'article entre l'adj. et le nom, après **too** ou **as**. Littéraire ; en angl. courant, *this coincidence is much too monstrous to…*
3. **very** placé devant un nom pour le renforcer se traduit par *même* (*this very day* : *aujourd'hui même*).
4. **unthinkable :** *impensable ;* formé sur le verbe **to think** ; de même que **unthoughtful** : *irréfléchi.*
5. **added** ['ædid] : la terminaison -ed du passé se prononce [id] après un « d » ou un « t » (ex. **started, needed, reported**…).
6. **stable boy :** *garçon d'écurie.* L'auteur semble employer indifféremment **stable boy, stable lad,** et **groom** pour désigner les mêmes personnages ; mais seul le **(stable) lad** se prépare à devenir jockey et monte les chevaux.

En aucun cas on ne pouvait supposer que cet étranger, Fitzroy Simpson, ait été à l'origine du choix du plat de curry qui avait été servi à l'entraîneur et sa famille ce soir-là ; et cela aurait été une coïncidence trop énorme s'il était venu par hasard avec de l'opium en poudre le soir même où était servi un plat qui, comme par hasard, pouvait en masquer le goût. Tout cela est impensable. Par conséquent, Simpson se trouve éliminé de l'affaire ; et notre attention se reporte alors sur Straker et sa femme, les deux seules personnes qui aient pu choisir le mouton au curry pour le dîner de ce soir-là. L'opium fut ajouté après que l'assiette du lad eut été mise à part, car les autres eurent la même chose pour dîner sans en subir les néfastes effets. Lequel des deux, alors, avait touché à cette assiette sans que la bonne puisse le voir ?

« Avant de résoudre cette question, j'avais saisi la signification du silence du chien, car une déduction qui se révèle exacte en entraîne toujours d'autres. L'incident Simpson m'avait appris qu'un chien demeurait dans les écuries ; et pourtant, bien que quelqu'un fût entré et ressorti avec un cheval, le chien en question n'avait pas aboyé assez fort pour réveiller les deux lads qui dormaient dans le grenier. Bien évidemment, le visiteur de minuit était quelqu'un que le chien connaissait bien !

« J'étais déjà convaincu, ou presque, que John Straker était descendu aux écuries en plein milieu de la nuit, et qu'il avait emmené Flamme d'argent.

---

7. **which :** pronom interrogatif exprimant une idée de choix.
8. **without the maid seeing them :** emploi du gérondif, à l'exclusion de l'infinitif, après les prépositions **after, before, without,** rendu ici par le subjonctif en français.
9. **before deciding :** même emploi du gérondif que précédemment mais rendu ici par l'infinitif français.
10. **to grasp :** *saisir* (sens concret et abstrait).
11. **a dog was kept :** m. à m. : *un chien était gardé.*
12. **whom :** pronom relatif complément, forme soutenue ; en angl. courant, on dirait, **someone who the dog knew** ou même **someone the dog knew,** en omettant le pronom pour alléger.
13. **in the dead of the night :** *en plein milieu de la nuit ;* **in the dead of winter :** *au cœur de l'hiver.*

For what purpose ? For a dishonest one, obviously, or why should he drug his own stable boy ? And yet I was at a loss[1] to know why. There have been cases before now where trainers have made sure of[2] great sums of money by laying[3] against their own horses, through[4] agents, and then prevented them from winning by fraud. Sometimes it is a pulling[5] jockey. Sometimes it is some surer and subtler means. What was it here ? I hoped that the contents[6] of his pockets might help me to form a conclusion.

"And they did so. You cannot have forgotten the singular knife which was found in the dead man's hand, a knife which certainly no sane man would choose for a weapon[7]. It was, as Dr Watson told us, a form of knife which is used for the most delicate operations known in surgery. And it was to be[8] used for a delicate operation that night. You must know, with your wide[9] experience of turf matters, Colonel Ross, that it is possible to make a slight[10] nick[11] upon the tendons of a horse's ham[12], and to do it subcutaneously so as to leave absolutely no trace. A horse so treated would develop[13] a slight lameness[14] which would be put down[15] to a strain[16] in exercise or a touch or rheumatism, but never to foul[17] play."

"Villain ! Scoundrel !" cried the Colonel.

---

1. **loss** : *perte ;* to sell at a loss : *vendre à perte ;* to be at a loss : *être dans l'embarras, désorienté.*
2. **to make sure of** : *s'assurer de.*
3. **to lay (some money) on** = to stake : *parier, miser.*
4. **through** [θru:] : *par l'intermédiaire de ;* to send or receive sth through the post : *envoyer ou recevoir qqch par la poste.*
5. **to pull a horse** : *retenir un cheval* en tirant sur les rênes.
6. △ **content** : *la contenance* (volume, capacité) ; **contents** : *le contenu,* ce qu'il y a dedans (livre, lettre, poches...).
7. **for a weapon** : noter l'article indéfini, omis en fr.
8. △ **to be to** : exprime une action future décidée ; habituellement rendue en fr. par le verbe *devoir ;* ici, it was to be used, m. à m. : *il devait être utilisé.*
9. **wide** : *large, vaste, étendu ;* ne pas confondre avec large : *grand, de vastes dimensions* (a large family, large

Pour quel motif ? Dans un but malhonnête, certainement, ou alors pourquoi aurait-il drogué son propre valet d'écurie ? Et pourtant, j'étais incapable de voir pourquoi. Il y a eu des exemples auparavant où des entraîneurs se sont assurés d'empocher de grosses sommes d'argent en misant contre leurs propres chevaux, par l'intermédiaire d'agents à leur solde, et en les empêchant ensuite de gagner par quelque moyen frauduleux. Parfois, c'est un jockey qui retient son cheval. Parfois il s'agit d'un moyen plus sûr et plus subtil. Qu'était-ce donc dans ce cas précis ? J'espérais que le contenu de ses poches m'aiderait à conclure.

« Et ce fut effectivement le cas. Vous ne pouvez pas avoir oublié l'étrange couteau trouvé dans la main du mort, un couteau que certainement aucun homme sain d'esprit n'aurait choisi comme arme. C'était, comme le docteur Watson nous l'a expliqué, un genre de bistouri qui est utilisé pour les opérations les plus délicates en chirurgie. Et en effet, il fut bien utilisé pour une opération délicate cette nuit-là. Vous devez savoir, avec votre vaste expérience des courses, colonel Ross, qu'il est possible de faire une légère incision sur les tendons du jarret d'un cheval, et de la faire sous la peau de manière à ne laisser absolument aucune trace. Un cheval ainsi traité manifesterait une tendance à boiter légèrement, ce qui serait attribué à un excès d'entraînement ou à une pointe de rhumatisme, mais jamais à une odieuse machination.

— Le bandit ! Le scélérat ! s'écria le colonel.

---

hands) ; **wide** ne peut s'employer pour les personnes ; **widespread** : *largement répandu, universel.*
10. **slight** : *léger, de peu de gravité.*
11. **nick** : 1) *entaille* ; 2) *moment critique* (**in the nick of time** : *à point nommé, juste à temps*).
12. **ham** : 1) *le jarret* ; 2) *jambon.*
13. **develop** [di'veləp], *(se) développer, manifester une tendance à, contracter une habitude.*
14. **lameness** : *boiterie* ; le suffixe **-ness** permet de construire des noms abstraits à partir d'adjectifs (ex. **weak** : *faible* ; **weakness** : *faiblesse*) ; **lame** : *estropié, boiteux.*
15. **to put down to** : *attribuer à.*
16. **strain** : 1) *effort soutenu* ; 2) *entorse, foulure.*
17. **foul** : *immonde, infâme, infect* ; **foul play** : *jeu déloyal, sale tour, coup bas...*

"We have here the explanation of why John Straker wished to take the horse out on to the moor. So spirited a creature would have certainly roused the soundest[1] of sleepers when it felt the prick of the knife. It was absolutely necessary to do it[2] in the open air."

"I have been blind !" cried the Colonel. "Of course, that was why he needed the candle, and struck the match."

"Undoubtedly. But in examining his belongings[3], I was fortunate to discover, not only the method of the crime, but even its motives. As a man of the world, Colonel, you know that men do not carry[4] other people's bills about in their pockets. We have most of us[5] quite enough to do to settle[6] our own. I at once concluded that Straker was leading a double life, and keeping a second establishment[7]. The nature of the bill showed that there was a lady in the case, and one who had expensive tastes. Liberal as you are with your servants, one hardly expects[8] that they can buy twenty-guinea walking dresses[9] for their women. I questioned Mrs Straker as to the dress without her knowing it[10], and having satisfied[11] myself that it had never reached her, I made a note of the milliner's[12] address, and felt that by calling[13] there with Straker's photograph, I could easily dispose of[14] the mythical Darbyshire.

---

1. **sound** : *sain, solide ;* **a sound sleep** : *un sommeil profond.*
2. **to do it** : *de le faire ;* le français précise, *de faire ce petit travail.*
3. **to belong (to)** : *appartenir (à) ;* **belongings** : *affaires, effets* (**my personal belongings** : *mes effets personnels*).
4. **to carry** : *porter ;* **about**, comme dans **go about, walk about**, traduit l'idée d'aller de-ci, de-là, çà et là ; **to carry about** : *se promener avec, transporter, emmener avec soi.*
5. **most of us** : *la plupart d'entre nous.* Quand il s'agit de cas particuliers, on emploie **most + of +** pronom à l'accusatif (**you, us, them**) ou **+** un nom (**most of the girls in this school** : *la plupart des filles de cette école*). Mais quand il s'agit de généralités, on construit directement **most +** nom (**most people** : *la plupart des gens*).
6. **to settle** : 1) *régler, conclure un problème* ou *une affaire ;* 2) *s'établir, coloniser, élire domicile, se fixer.*

— Voilà donc l'explication du fait que John Straker voulait sortir le cheval et l'emmener sur la lande. Un animal aussi fougueux aurait sûrement réveillé les dormeurs les plus profonds en sentant la pointe du bistouri le piquer. Il était donc absolument nécessaire d'accomplir ce petit travail en plein air.

— J'ai été aveugle ! s'exclama le colonel. Bien sûr, voilà pourquoi il avait besoin d'une chandelle et pourquoi il alluma une allumette.

— Sans aucun doute. Mais en examinant ses affaires, j'eus la chance de découvrir, non seulement la méthode du crime, mais aussi ses motifs. En tant qu'homme du monde, colonel, vous savez bien que les hommes ne transportent pas dans leurs poches les notes d'autres personnes. La plupart d'entre nous avons suffisamment à faire pour régler les nôtres. J'en conclus aussitôt que Straker menait une double vie, et qu'il avait un deuxième ménage. La nature de la note montrait qu'il y avait une femme dans l'histoire, et que cette femme avait des goûts fort coûteux. Vous avez beau être généreux avec vos employés, on peut difficilement s'attendre à ce qu'ils puissent acheter des robes de ville de vingt guinées à leur femme ! J'ai posé la question à Mrs Straker à propos de cette robe, de manière innocente, et m'étant assuré qu'elle ne lui était jamais parvenue, j'ai pris note de l'adresse de la couturière ; car je devinais qu'en m'y rendant avec la photographie de Straker, je pourrais facilement dissiper le mythe de ce Mr Darbyshire.

---

7. **to keep a second** (ou **separate**) **establishment** : *avoir un ménage en ville* (pour *une maîtresse*) ; mais **the Establishment** : *les institutions établies*.
8. **to expect** : *s'attendre à ;* **to expect sth from someone** : *attendre, exiger qqch de qqn ;* **I expect so** : *je pense que oui.*
9. **walking dress** : *robe de ville ;* **evening dress** : *robe du soir ;* **night dress** : *chemise de nuit.*
10. m. à m. : *sans qu'elle le sache.*
11. **to satisfy** : *satisfaire ;* **to satisfy oneself** : *s'assurer.*
12. **a milliner** : *modiste, marchand d'articles de modes.*
13. △ **to call** : 1) *appeler ;* 2) *se rendre* (**to call on sb, at someone's home** : *se présenter chez qqn).*
14. **to dispose** : *disposer, arranger ;* **to dispose of** : *se défaire, se débarrasser de* (ici, *dissiper un mythe).*

"From that time on all was plain [1]. Straker had led out the horse to a hollow where his light would be invisible. Simpson, in his flight [2], had dropped his cravat, and Straker had picked it up [3] with some idea, perhaps, that he might use it in securing the horse's leg. Once in the hollow he had got behind the horse, and had struck [4] a light, but the creature, frightened at the sudden glare [5], and with the strange instinct of animals feeling that some mischief [6] was intended [7], had lashed out [8], and the steel shoe [9] had struck Straker full on the forehead. He had already, in spite of the rain, taken off [10] his overcoat in order to do his delicate task, and so, as he fell, his knife gashed [11] his thigh. Do I make it clear ?"

"Wonderful !" cried the Colonel. "Wonderful ! You might have been there."

"My final shot was, I confess, a very long [12] one. It struck me that so astute a man as Straker would not undertake [13] this delicate tendon-nicking [14] without a little practice. What could he practise on ? My eyes fell upon the sheep, and I asked a question which, rather to my surprise, showed that my surmise was correct."

"You have made it perfectly clear, Mr Holmes."

---

1. **plain :** 1) *clair, évident, simple ;* 2) *sans beauté, laid.*
2. **▲ flight :** ici, *fuite ;* du verbe to flee (fled, fled) : *s'enfuir.* Mais flight : *le vol* (avion, oiseau) vient de to fly (flew, flown).
3. **to pick up :** *ramasser,* mais aussi *passer prendre* (I'll pick you up at the station : *je viendrai te chercher à la gare).*
4. **to strike (struck, struck) :** *frapper ;* to strike a match, a light ; *craquer une allumette, allumer une lumière.*
5. **glare :** *éclat, lumière crue, éblouissante ;* to glare at : *jeter un regard furieux.*
6. **mischief :** *malveillance, méchanceté, tort ;* **mischievous :** *méchant, nuisible* (pour un enfant : *espiègle, qui fait des siennes) ;* to mean mischief : *méditer un mauvais coup.*
7. **to intend :** *avoir l'intention de ;* la forme passive est ici rendue par l'impersonnel fr., *on voulait.*

« A partir de ce moment-là, tout devenait clair. Straker avait conduit le cheval dans un creux de terrain où sa lumière serait invisible. Simpson, dans sa fuite, avait perdu sa cravate, et Straker l'avait ramassée avec l'idée peut-être qu'il pourrait l'utiliser pour maintenir la jambe du cheval. Un fois parvenu dans la dépression de terrain, il était passé derrière le cheval et avait allumé sa lumière ; mais l'animal, effrayé par cette lueur subite, et mû par l'étrange instinct des bêtes qui sentent qu'on veut leur faire du mal, avait rué et son fer avait frappé Straker en plein sur le front. Celui-ci avait déjà, malgré la pluie, enlevé son grand manteau pour accomplir son délicat travail, et alors, quand il tomba, son bistouri lui entailla la cuisse. Mon explication est-elle claire ?

— Merveilleux ! s'écria le colonel. Merveilleux ! On croirait que vous y étiez.

— Mon coup final fut, je dois dire, tiré un peu au hasard. Il m'apparut qu'un homme aussi rusé que Straker n'oserait pas entreprendre cette opération du tendon sans s'entraîner un peu. Sur quoi pouvait-il donc se faire la main ? Mes yeux tombèrent sur les moutons, et je posai une question qui, à ma grande surprise, amena une réponse démontrant que mon hypothèse était correcte.

— Vos explications sont parfaitement claires, Monsieur Holmes.

---

8. **to lash :** *fouetter, cingler ;* **to lash out :** *ruer ;* **a lash :** *un coup de fouet* (**back lash :** *contre-coup, répercussion*).
9. **steel shoe :** *le sabot d'acier,* d'où, *le fer.*
10. **to take off :** *ici, enlever* (un vêtement), à opposer à **to put on.** Autre sens de **to take off :** *décoller* (pour un avion) ; **to take 3 days off :** *prendre 3 jours de congé.*
11. **to gash :** *entailler ;* **gash :** *estafilade, balafre.*
12. △ **to make a long shot :** *tirer un coup de feu de loin* et *tomber juste ;* d'où *deviner au hasard* (cf p. 73).
13. **to undertake (took, taken) :** *entreprendre, assumer ;* **the undertaker :** *l'entrepreneur des pompes funèbres.*
14. **nicking :** *le fait d'entailler ;* nom verbal formé à partir du verbe **to nick ;** comme **to swim :** *nager ;* **swimming :** *la natation.*

"When I returned to London I called upon the milliner, who at once recognized Straker as an excellent customer, of the name of Darbyshire, who had a very dashing [1] wife with a strong partiality for expensive dresses. I have no doubt that this woman had plunged him over head and ears [2] in debt [3], and so led him into this miserable [4] plot."

"You have explained all but one thing," cried the Colonel. "Where was the horse ?"

"Ah, it bolted [5] and was cared for [6] by one of your neighbours. We must have an amnesty in that direction, I think. This is Clapham Junction [7], if I am not mistaken, and we shall be in Victoria [8] in less than ten minutes. If you care to [9] smoke a cigar in our rooms [10], Colonel, I shall be happy to give you any other details which might interest you."

---

1. **dashing** : *impétueux, à l'élégance tapageuse, fougueux.*
2. **to be head over ears** (ou **up to the ears**) **in debt** : *être criblé de dettes* ; ici, la traduction m. à m. serait, *l'avait plongé dans les dettes par-dessus la tête.* **To be head over ears in love** : *être éperdument amoureux.*
3. **debt** [det], de même **doubt** [daut], ou **receipt** [ri'si:t].
4. **miserable** : *malheureux* (pour les personnes) ; *misérable, déplorable* (pour les événements).
5. **to bolt** : (rappel) *décamper, déguerpir, filer, s'emballer* (pour un cheval) ; également, *verrouiller* (une porte), *boulonner.*
6. **to care for** : ici, *s'occuper de, soigner* (utilisé à la forme passive, il faut garder la postposition) ; également, **to care for someone** : *avoir un penchant pour qqn, aimer.*

— Quand je revins à Londres je me rendis chez la couturière, qui reconnut aussitôt Straker comme un excellent client, du nom de Darbyshire, qui avait une femme à l'élégance tapageuse et au goût très prononcé pour les robes coûteuses. Je suis certain que cette femme l'avait conduit dans une situation financière dramatique, ce qui l'avait poussé à imaginer ce déplorable complot.

— Vous avez tout expliqué sauf une chose, s'écria le colonel. Où donc était le cheval ?

— Ah ! il avait pris la fuite et fut pris en charge par l'un de vos voisins. Je crois qu'à ce sujet, nous devons faire preuve de clémence. Mais voilà l'embranchement de Clapham, si je ne m'abuse, et nous arriverons à la gare de Victoria dans moins de dix minutes. Si vous voulez venir fumer un cigare dans nos appartements, colonel, je serai heureux de vous donner tout autre détail pouvant vous intéresser. »

---

7. **junction** : *embranchement, bifurcation* (de route), *gare de bifurcation* (de chemin de fer).

8. **Victoria** : grande gare de Londres, comme Waterloo station et Charring Cross.

9. **to care to** : souvent employé dans une phrase à sens interrogatif, a le sens de *bien vouloir ;* **if you care to join us** : *si vous voulez vous joindre à nous (si le cœur vous en dit).*

10. **in our rooms** : *dans nos appartements* (expression un peu démodée) ; **to live in rooms** : *vivre en garni ;* **bachelor's rooms** : *garçonnière.*

THE THREE GARRIDEBS

Les trois Garrideb

It may[1] have been a comedy, or it may have been a tragedy. It cost[2] one man his reason, it cost me a blood-letting, and it cost yet another man the penalties of the law[3]. Yet there was certainly an element of comedy. Well, you shall judge for yourselves.

I remember the date very well, for it was in the same month that Holmes refused a knighthood[4] for services which may perhaps some day be described. I only refer to the matter in passing, for in my position of partner and confidant I am obliged to be particularly careful to avoid any indiscretion. I repeat, however, that this enables me to fix the date, which was the latter end of June[5], 1902, shortly after the conclusion of the South African War[6]. Holmes had spent several days in bed, as was his habit from time to time, but he emerged that morning with a long foolscap[7] document in his hand and a twinkle of amusement in his austere gray eyes.

"There is a chance[8] for you to make some money, friend Watson," said he. "Have you ever heard the name of Garrideb ?"

I admitted that I had not.

"Well, if you can lay your hand upon a Garrideb, there's money in it."

"Why ?"

"Ah, that's a long story — rather a whimsical[9] one, too. I don't think in all our explorations of human complexities we have ever[10] come upon anything more singular.

---

1. **may** + present perfect du verbe se traduit par le conditionnel passé en fr. *aurait pu*. **Could have** a un sens voisin ; **may** met davantage l'accent sur l'incertitude.
2. **to cost sb sth :** *coûter qqch à qqn ;* en angl., les deux compléments sont directs (sans préposition) et celui indiquant la personne se place en premier.
3. **penalties of the law :** m. à m. *les sanctions de la loi.* Il s'agit ici d'emprisonnement, d'où *coûté la liberté.*
4. **knight :** [naït], *chevalier,* premier échelon des titres de noblesse en G.B. Le **knight** a droit à l'appellation de **Sir** devant son prénom, suivi ou non de son nom de famille. Sa femme a le titre de **Lady** ; **knighthood** : *la chevalerie.*
5. **△the latter end of June :** *la dernière moitié du mois de juin, la fin de juin.* **The former... the latter** : *le premier, le dernier* (par opposition au premier).

Cette histoire aurait pu être une comédie, ou bien une tragédie. Elle a coûté à un homme la perte de sa raison, à moi-même une saignée, et à un autre homme enfin, sa liberté. Pourtant il y avait là, sans aucun doute, une part de comédie. Mais vous jugerez par vous-même.

Je me souviens très bien de la date, car cela se passait au cours du mois où Holmes refusa l'anoblissement pour services rendus (ceux-ci seront peut-être racontés un jour). Je fais simplement référence à ce fait en passant, car dans ma position d'associé et de confident, je suis obligé d'être particulièrement prudent pour éviter toute indiscrétion. Je répète, cependant, que cela me permet de fixer la date qui était à la fin du mois de juin 1902, peu après la fin de la guerre en Afrique du Sud. Holmes avait passé plusieurs jours au lit — comme il en avait l'habitude de temps en temps — mais ce matin-là, il apparut tenant à la main un long document sur papier ministre ; dans ses austères yeux gris brillait une lueur de malice.

« Voici une occasion pour vous de gagner un peu d'argent, ami Watson ! me dit-il. Avez-vous jamais entendu le nom de Garrideb ? »

Je lui avouai que non.

« Eh bien, si vous pouvez mettre la main sur un **Garrideb**, il y a de l'argent à gagner.

— Pourquoi ?

— Ah ! c'est une longue histoire, et une histoire assez rocambolesque aussi. Je ne crois pas que, au cours de toutes nos explorations des complexités humaines, nous ayons jamais rencontré quelque chose d'aussi bizarre.

---

6. **South African War** : il s'agit de la guerre des Boers (1899-1902) qui opposa les Boers (colons hollandais de longue date) aux Anglais. La victoire fut anglaise.

7. **foolscap** : *papier ministre* employé en feuilles doubles pour des formalités administratives. Ne pas confondre avec **fool's cap** : *bonnet de fou, bonnet d'âne.*

8. ▲ **chance** : *hasard, occasion ;* to take a chance : *prendre un risque.* Mais *avoir de la chance* se dit **to be lucky.**

9. **whimsical** : *bizarre, rocambolesque ;* mais **a whimsical person** : *une personne capricieuse, fantasque.*

10. **ever** : *toujours* (**for ever** : *pour toujours*) ; *jamais, une fois quelconque,* dans les phrases interrogatives et négatives (il remplace alors **never**).

The fellow will be here presently[1] for cross-examination, so I won't open the matter up till he comes[2]. But, meanwhile, that's the name we want."

The telephone directory lay on the table beside me, and I turned over the pages in a rather hopeless quest[3]. But to my amazement there was this strange name in its due place[4]. I gave a cry of triumph.

"Here you are, Holmes ! Here it is[5] !"

Holmes took the book from my hand.

"Garrideb, N." he read, "136 Little Ryder Street, W." Sorry to disappoint you, my dear Watson, but this is the man himself. That is the address upon his letter. We want another to match[6] him."

Mrs. Hudson had come in with a card upon a tray. I took it up and glanced at[7] it.

"Why, here it is !" I cried in amazement. "This is a different initial. John Garrideb, Counsellor at Law[8], Moorville, Kansas, U.S.A."

Holmes smiled as he looked at the card. "I am afraid you must make yet another effort, Watson," said he. "This gentleman is also in the plot already, though I certainly did not expect[9] to see him this morning. However, he is in a position to tell us a good deal[10] which I want to know."

A moment later he was in the room. Mr John Garrideb, Counsellor at Law, was a short, powerful[11] man with the round, fresh, clean-shaven face characteristic of so many American men of affairs.

---

1. **presently :** 1) *bientôt,* 2) *actuellement, à présent.* Mais **actually** signifie *en fait, réellement, en vérité.*
2. **till he comes :** noter l'emploi du présent dans les propositions introduites par les conjonctions exprimant la durée (**when, as soon as, until...**), rendu en fr. par le subj.
3. **in a rather hopeless quest :** m. à m. : *dans une recherche plutôt désespérée* (sans espoir, sans issue).
4. **in its due place :** *à la place qui lui est due, à sa place normale ;* de même **in due form :** *en bonne et due forme ;* **the train is due at :** *le train est attendu à.*
5. **here you are... here it is :** *le voici... le voilà.* La première expression évoque l'idée de *voici ce que vous voulez, ce que vous m'avez demandé, tenez.*
6. **to match :** *assortir, appareiller ;* **to match well :** *aller bien ensemble, faire une bonne paire.*

Le type sera bientôt là pour un contre-interrogatoire, alors je ne vous expose pas l'affaire avant qu'il n'arrive. Mais en attendant, c'est ce nom-là qu'il nous faut. »

L'annuaire du téléphone se trouvait sur la table à côté de moi, et je tournai les pages à sa recherche mais sans grand espoir. Or à ma surprise, je trouvai ce nom étrange à sa place. Je poussai un cri de triomphe.

« Le voilà, Holmes, je l'ai trouvé ! »

Holmes me prit l'annuaire des mains, et lut :

« Garrideb N., 136 Little Ryder Street, W. Désolé de vous décevoir, mon cher Watson, mais celui-ci est l'homme en question. C'est l'adresse qui est écrite sur sa lettre. Nous cherchons un autre Garrideb pour faire la paire. »

Mrs Hudson était entrée avec une carte sur un plateau. Je la pris et y jetai un coup d'œil.

« Tiens, mais le voici ! m'écriai-je stupéfait. C'est une initiale différente. John Garrideb, conseiller juridique, Moorville, Kansas, U.S.A. »

Holmes sourit en regardant la carte de visite.

« Je crains que vous ne deviez faire encore un nouvel effort, Watson, déclara-t-il. Ce gentleman est déjà dans l'histoire, bien que je ne me sois vraiment pas attendu à le voir ce matin. Il est pourtant en mesure de nous dire un grand nombre de choses que j'aimerais connaître. »

Quelques minutes plus tard, il était dans la pièce. Mr. John Garrideb, conseiller juridique, était un homme de petite taille, puissamment bâti, et il avait le visage rond, frais et bien rasé si typique de tant d'hommes d'affaires américains.

---

7. **to glance at** : *jeter un coup d'œil à.* Noter la préposition *at* après les verbes de regard : **to look at, to stare at** *(regarder fixement),* **to wink at** *(faire un clin d'œil).*

8. **Counsellor at Law** : *conseiller juridique.* Law, 1) *la loi* 2) *le droit ;* **to study law** : *étudier le droit ;* **to practise law** : *exercer une profession juridique.*

9. **to expect** : *attendre, s'attendre à, compter sur ;* il se construit toujours avec un C.O.D. sans préposition.

10. **a good deal** : *un grand nombre de choses ;* souvent employé ainsi que **a great deal,** dans le sens de *beaucoup.*

11. **powerful** : *puissant ;* ici au sens physique de *fort, vigoureux,* d'où *puissamment bâti.*

The general effect was chubby and rather childlike [1], so that one received the impression of quite a young man with a broad set smile [2] upon his face. His eyes, however, were arresting [3]. Seldom [4] in any human head have I seen a pair which bespoke [5] a more intense inward life, so bright were they, so alert, so responsive to every change of thought. His accent was American, but was not accompanied by any eccentricity [6] of speech.

"Mr. Holmes ?" he asked, glancing from one to the other. "Ah, yes ! Your pictures are not unlike [7] you, sir, if I may say so. I believe you have had a letter from my namesake [8], Mr Nathan Garrideb, have you not ?"

"Pray [9] sit down," said Sherlock Holmes. "We shall, I fancy [10], have a good deal to discuss." He took up his sheets of foolscap. "You are, of course, the Mr John Garribed mentioned in this document. But surely you have been in England some time ?"

"Why do you say that, Mr Holmes ?" I seemed to read sudden suspicion in those expressive eyes.

"Your whole outfit is English."

Mr. Garrideb forced [11] a laugh. "I've read of [12] your tricks [13], Mr Holmes, but I never thought I would be the subject of them. Where do you read that ?"

"The shoulder cut of your coat, the toes [14] of your boots — could anyone doubt it ?"

"Well, well, I had no idea I was so obvious a Britisher [15].

---

1. **childlike** : *enfantin, naïf*. De même **manlike** : *masculin, digne d'un homme* ; **womanlike** : *féminin, efféminé*.
2. **a broad set smile** : *un large sourire figé, plaqué*.
3. **arresting** : *captivant, qui retient l'attention*.
4. **⚠seldom... seen** : noter l'inversion de style soigné. Elle est utilisée lorsqu'un terme négatif (**never, nowhere, not only, no sooner**), semi-négatif (**hardly, seldom**), ou de sens fort (**well, often**), est mis en relief en tête de phrase.
5. **to bespeak (bespoke, bespoken)** : terme désuet, *annoncer, révéler* ce que l'on voulait tenir secret, d'où *trahir*.
6. **eccentricity** : *bizarrerie*, sous-ent. américanismes.
7. **not unlike** : *non dissemblable* ; double négation souvent employée pour une affirmation nuancée.
8. **namesake** : *qui porte le même nom* (pour une personne). *L'homonyme* au sens général se dit **homonym**.

L'allure générale était celle d'un homme joufflu et plutôt naïf, si bien qu'il donnait l'impression d'un homme très jeune au perpétuel sourire. Ses yeux cependant retenaient l'attention. J'ai rarement vu sur un visage humain deux yeux qui trahissaient une vie intérieure aussi intense. Ils étaient si brillants, ils exprimaient tellement l'évolution de ses pensées ! Son accent était américain mais ne s'accompagnait d'aucune excentricité de langage.

« Monsieur Holmes ? interrogea-t-il en nous regardant successivement. Ah oui ! Vos photographies sont assez ressemblantes, monsieur, si je puis me permettre cette remarque. Je crois que vous avez reçu une lettre de mon homonyme, M. Nathan Garrideb, n'est-ce-pas ?

— Je vous en prie, asseyez-vous, dit Sherlock Holmes. Nous allons avoir, je pense, bon nombre de choses à discuter. » Il s'empara de ses feuilles de papier ministre.

« Vous êtes, bien sûr, le Mr. John Garrideb cité dans ce document. Mais vous êtes sûrement en Angleterre depuis quelque temps déjà ?

— Pourquoi me dites-vous cela, monsieur Holmes ? » Je crus lire soudain un soupçon dans ces yeux si expressifs.

« Tous vos vêtements sont anglais. »

M. Garrideb émit un rire forcé. « J'ai lu ce qu'on raconte de vos manies, monsieur Holmes, mais je ne pensais pas que j'en deviendrais un jour la cible. A quoi avez-vous vu ça ?

— A la carrure de votre veste, à la forme de vos chaussures ; qui pourrait en douter ?

— Ma foi, je ne pensais absolument pas que j'avais autant l'air d'un Britannique.

---

9. **pray** : formule désuète ; on dirait aujourd'hui **please**.

10. **to fancy** : *se figurer, s'imaginer* ; autre sens, *se sentir attiré par* ou *vers, avoir envie de* (*du goût pour*).

11. **to force** : *forcer, se forcer à* ; **to force a smile** : *se forcer à sourire, avoir un sourire contraint*.

12. **to read of** : formule concise pour **to read an account of** : *lire le récit de, lire ce qu'on raconte de*.

13. **trick** : 1) *ruse, supercherie* ; 2) *tour de main, manie, tic* ; 3) *levée* (aux cartes).

14. **toes** : *orteils,* mais aussi *bout pointu des chaussures* (typique des chaussures britanniques de l'époque).

15. **so obvious a Britisher** : style soutenu, d'où la place de l'article indéfini entre l'adj. et le nom (de même après **too** et **as** pour mettre en relief l'adj.).

But business brought me over here some time ago, and so, as you say, my outfit is nearly all London [1]. However, I guess your time is of value, and we did not meet to talk about the cut of my socks. What about getting down to [2] that paper you hold in your hand ?"

Holmes had in some way ruffled our visitor, whose [3] chubby face had assumed [4] a far [5] less amiable expression.

"Patience ! Patience, Mr Garrideb !" said my friend in a soothing voice. "Dr Watson would tell you that these little digressions of mine [6] sometimes prove in the end to have some bearing [7] on the matter. But why did Mr Nathan Garrideb not come with you ?"

"Why did he ever drag you into it at all ?" asked our visitor with a sudden outflame of anger. "What in thunder [8] had you to do with it ? Here was a bit of [9] professional business between two gentlemen [10], and one of them must needs [11] call in a detective ! I saw him this morning, and he told me this fool-trick he had played me, and that's why I am here. But I feel bad [12] about it, all the same."

"There was no reflection [13] upon you, Mr Garrideb. It was simply zeal upon his part to gain your end — an end which is, I understand, equally vital for both of you. He knew that I had means of getting information, and, therefore, it was very natural that he should apply to me."

---

1. **all London** : tournure concise pour **all from London**.
2. **to get down to it** : *s'y mettre ;* **to get down to work** : *se mettre au travail ;* **to get down to facts** : *en venir aux faits ;* mais **to get sth down** : *noter qqch par écrit.*
3. **whose** : relatif qui exprime un rapport de possession ou de parenté ; comme tous les cas possessifs, il n'est jamais suivi de l'article.
4. **to assume** : ici *prendre un air, se donner l'aspect de.*
5. **far** sert ici à renforcer le comparatif.
6. **mine** : pronom possessif invariable ; **a friend of mine** = **one of my friends** : *un de mes amis.* **These little digressions of mine** : *ces petites digressions qui sont les miennes.*
7. **bearing** : *la portée* d'un argument, *le rapport* à une question ; vient de **to bear (bore, borne)** : *porter, supporter.*

Mais les affaires m'ont amené ici il y a quelque temps, et donc mon trousseau, comme vous dites, vient presque entièrement de Londres. Cependant, je suppose que votre temps est précieux et nous ne nous sommes pas rencontrés pour parler de la coupe de mes chaussettes. Et si l'on en venait à ce papier que vous tenez à la main ? »

Holmes avait d'une certaine façon irrité notre visiteur dont le visage poupin arborait un air bien moins aimable.

« Patience, Monsieur Garrideb, patience ! répondit mon ami d'une voix apaisante. Le docteur Watson vous dirait que ces petites digressions que j'aime faire se révèlent parfois être finalement tout à fait en rapport avec le problème. Mais pourquoi Mr Nathan Garrideb n'est-il pas venu avec vous ?

— Pourquoi vous a-t-il donc entraîné dans toute cette histoire ? demanda notre visiteur dans une soudaine explosion de colère. Que diable aviez-vous à voir avec cette affaire ? Voilà un petit problème professionnel qui se posait à deux messieurs et l'un d'entre eux éprouve le besoin d'appeler un détective ! Je l'ai vu ce matin et il m'a raconté ce tour stupide qu'il m'a joué et voilà pourquoi je suis ici. Mais je la trouve mauvaise, malgré tout.

— Il n'y avait aucune critique dirigée contre vous, monsieur Garrideb. Ce n'était que du zèle de sa part pour parvenir au but que vous poursuivez — un but qui est, si j'ai bien compris, également vital pour tous les deux. Il savait que j'avais des moyens pour obtenir des renseignements et il était donc tout naturel qu'il s'adressât à moi. »

---

8. **in thunder :** expression désuète ; on dirait aujourd'hui **the devil :** *que diable.*

9. **a bit of :** *un morceau de, un peu de.* Ici, m. à m. : *un peu d'affaires professionnelles.*

10. **gentleman :** 1) *gentilhomme* ; 2) *galant homme* (bien né, bien éduqué) ; 3) *monsieur,* quand on parle de qqn ou à qqn (ex. **ladies and gentlemen :** *mesdames et messieurs*). Peut avoir un sens ironique quand le terme s'applique à un Américain (un Américain ne pouvant pas être un "gentleman").

11. **needs :** adverbe de forme désuète utilisé avant et après **must** ; se traduit par *nécessairement, par un besoin absolu* (**he must needs obey :** *force lui est d'obéir*).

12. **to feel bad :** *se sentir mal* ; **about it :** *à ce propos.*

13. **reflection :** *réflexion* ; ici sens de *blâme, critique.*

Our visitor's angry face gradually cleared.

"Well, that puts it[1] different," said he. "When I went to see him this morning and he told me he had sent to[2] a detective, I just asked for your address and came right away. I don't want police[3] butting into a private matter. But if you are content[4] just to help us find[5] the man, there can be no harm in that."

"Well, that is just how it stands[6]," said Holmes. "And now, sir, since you are here, we had best[7] have a clear account from your own lips. My friend here knows nothing of the details."

Mr Garrideb surveyed[8] me with not too friendly a gaze.

"Need he know[9]?" he asked.

"We usually work together."

"Well, there's no reason it should be kept a secret[10]. I'll give you the facts as short as I can make them. If you came from Kansas I would not need to explain to you who Alexander Hamilton Garrideb was. He made his money in real estate[11], and afterwards in the wheat pit[12] at Chicago, but he spent it in buying up as much land as would make one of your counties[13], lying along the Arkansas River, west of Fort Dodge. It's grazing-land and lumber-land and arable-land and mineralized-land, and just every sort of land that brings dollars to the man that owns it.

"He had no kith nor kin[14]—or, if he had, I never heard of it.

---

1. **it** représente ce dont on vient de parler, *le problème*.
2. **to send to** : expression désuète, *faire appel à ; on dirait aujourd'hui* **to send for somebody**.
3. **police** : noter l'omission de l'article, **police** étant considéré ici comme un pl. indéfini.
4. ▲ **to be content** + verbe à l'inf. ou + **with** + gérondif, *être satisfait de, se contenter de, être tout prêt à.*
5. **help us find** : noter l'omission de **to** devant l'inf., tournure souvent employée aux U.S.A.
6. **how it stands** : *comment est la situation, où les choses en sont,* d'où *c'est ainsi que je l'entends.*
7. **we had best** : *il vaudrait bien mieux, il serait bien préférable ;* plus fort que **we had better** : *nous ferions mieux de.* Mais tous deux s'emploient avec l'inf. sans **to**.
8. **to survey** : *regarder, examiner, inspecter, expertiser.*

Le visage en colère de notre visiteur s'éclaira peu à peu.

« Bon, voilà qui pose le problème différemment, dit-il. Quand je suis allé le voir ce matin et qu'il m'a dit qu'il avait fait appel à un détective, je lui ai vite demandé votre adresse et je suis venu immédiatement chez vous. Je ne veux pas que la police intervienne dans une affaire privée. Mais si vous vous contentez simplement de nous aider à trouver l'homme, il ne peut y avoir aucun mal à cela.

— C'est bien ainsi que je l'entends, répliqua Holmes. Et maintenant, monsieur, puisque vous êtes ici, il vaudrait bien mieux que nous ayons de votre bouche un récit clair des faits. Mon ami ici présent ne connaît rien des détails. »

M. Garrideb m'étudia avec un regard fort peu amical.

« Est-il indispensable qu'il soit au courant ? demanda-t-il.

— D'habitude, nous travaillons ensemble.

— Au fond, il n'y a aucune raison pour que cela reste secret. Je vais vous rapporter les faits aussi brièvement que possible. Si vous veniez du Kansas, je n'aurais pas besoin de vous expliquer qui était Alexander Hamilton Garrideb. Il fit fortune dans l'immobilier et ensuite à la bourse du blé de Chicago, mais il dépensa son argent en achetant autant de terre qu'en représente l'un de vos comtés le long de la rivière Arkansas, à l'ouest de Fort Dodge. Ce sont des terres à pâturages et des forêts, des terres labourables et des terres riches en minerais, bref, toutes les sortes de terres qui rapportent de l'argent à celui qui les possède.

« Il n'avait ni amis ni parents, ou s'il en avait, je n'en ai jamais entendu parler.

---

9. **need he know :** dans une tournure recherchée, négative ou interrogative, on peut employer **need** suivi de l'inf. sans **to** (comme un défectif). En anglais familier on dirait **does he need to know ?** *doit-il le savoir ?*

10. m. à m. : *que cela soit gardé comme un secret* (**there's no reason** est habituellement suivi de **why**).

11. **real estate :** *biens immobiliers* (se dit aussi **property**).

12. **△wheat :** *blé, froment* (aux U.S.A.), mais *le blé se dit* **corn** en G.B. ; alors que *le maïs se dit* **corn** aux U.S.A. et **maize** en G.B. ; **wheat pit :** *la bourse du blé* (U.S.A.).

13. m. à m. : *autant de terrain que ce qui constituerait l'un de vos comtés.*

14. **kin :** *souche familiale, parenté ;* **kith** (archaïque) : *amis,* encore en usage dans l'expression **kith and kin.**

But he took a kind of pride[1] in the queerness of his name. That was what brought us together. I was in the law[2] at Topeka, and one day I had a visit from the old man, and he was tikled to death[3] to meet another man with his own name. It was his pet fad[4], and he was dead[5] set to find out if there were any more Garridebs in the world.

" 'Find me another !' said he. I told him I was a busy man and could not spend my life hiking[6] round the world in search of Garridebs. 'None the less,' said he, 'that is just what you will do if things pan out[7] as I planned them.' I thought he was joking, but there was a powerful lot of meaning in the words, as I was soon to discover.

"For he died within[8] a year of saying them, and he left a will[9] behind him. It was the queerest will that has ever been filed in the State of Kansas. His property was divided into three parts, and I was to[10] have one on condition that I found two Garridebs who would share the remainder. It's five million dollars for each if it is a cent[11], but we can't lay a finger on it until we all three stand in a row.

"It was so big a chance that I just let my legal practice slide and I set forth looking for Garridebs. There is not one in the United States. I went through it, sir, with a fine-toothed comb and never a Garrideb could I catch.

---

1. **pride :** *orgueil ;* to take pride in one's achievements : *tirer vanité de ses succès.*
2. **to be in the law** = to practice law (cf p. 2, note 9).
3. **to tickle :** *chatouiller ;* to be tickled to death + to + verbe (ou + at ou with + nom), *être enchanté de, mourir de rire à l'idée de qqch.*
4. **fad :** *marotte, manie ;* **pet :** *animal familier ;* **pet subject :** *sujet de prédilection ;* d'où **pet fad :** *marotte favorite.*
5. **dead :** employé ici adverbialement signifie *absolument ;* **dead sure :** *absolument certain ;* **dead asleep :** *profondément endormi ;* **to be dead set to :** *être absolument résolu à.*
6. **to hike :** *vagabonder, faire une longue promenade à pied ;* **to hitch hike :** *faire de l'auto-stop.*
7. **to pan out :** utilisé dans des expressions comme **to pan**

Mais il tirait une certaine vanité de l'étrangeté de son nom. Ce fut ce qui nous mit en contact. J'exerçais une profession juridique à Topeka et un jour je reçus la visite du vieil homme. Il était transporté de joie de rencontrer un autre homme portant le même nom. C'était sa marotte favorite et il voulait absolument découvrir s'il existait d'autres Garrideb au monde.

« "Trouvez-m'en un autre !" me dit-il. Je lui dis que j'étais un homme occupé et que je ne pouvais passer ma vie à faire le tour du monde à la recherche de quelques Garrideb.

« "Néanmoins, ajouta-t-il, c'est exactement ce que vous ferez si les choses se passent comme je l'ai prévu."

« Je pensais qu'il plaisantait, mais il y avait une formidable signification cachée dans ses paroles, comme je devais bientôt le découvrir.

« Car il mourut moins d'un an après avoir prononcé ces mots, et il laissa derrière lui un testament. C'était le testament le plus étrange qui ait jamais été enregistré dans l'État du Kansas. Ses biens étaient divisés en trois parts, et je devais en recevoir une à condition que je trouve deux autres Garrideb qui se partageraient le reste. Cela représente, à coup sûr, cinq millions de dollars pour chacun, mais nous ne pouvons y toucher tant que nous ne sommes pas là tous les trois alignés.

« C'était une chance si extraordinaire que je laissai tomber mon cabinet juridique et partis à la recherche de Garrideb. Il n'y en a pas un seul aux États-Unis. J'ai passé tout le pays au peigne fin et je n'ai jamais pu mettre la main sur un seul Garrideb.

---

out well, ou to pan out as I planned : *réussir bien,* ou *réussir comme je l'ai prévu.*

8. **within :** *à l'intérieur, au sein de ;* avec des expressions de temps, **within a year :** *en moins d'un an ;* **within the next five years :** *d'ici cinq ans.*

9. **will :** ici *testament,* mais aussi *volonté, intention.*

10. **▲to be to :** se traduit par le verbe *devoir* pour exprimer 1) une action future décidée, convenue (c'est le cas ici) ; 2) un ordre, une nécessité (**you are to do it :** *vous devez le faire*).

11. **if it is a cent :** expression concise pour if it is **worth a cent :** *si cela vaut un cent, à coup sûr ;* on dirait aujourd'hui if **anything.**

Then I tried the old country[1]. Sure enough[2] there was the name in the London telephone directory. I went after him two days ago and explained[3] the whole matter to him. But he is a lone man, like myself, with some women relations[4], but no men. It says three adult men in the will. So you see we still have a vacancy, and if you can help to fill it we will be very ready to pay your charges."

"Well, Watson," said Holmes with a smile, "I said it was rather whimsical, did I not ? I should have thought, sir, that your obvious way was to advertise in the agony columns[5] of the papers."

"I have done that, Mr Holmes. No replies."

"Dear me[6] ! Well it is certainly a most curious little problem. I may take a glance at it in my leisure[7]. By the way, it is curious that you should have come from Topeka. I used to[8] have a correspondent — he is dead now — old Dr Lysander Starr, who was mayor in 1890."

"Good old Dr Starr !" said our visitor. "His name is still honoured. Well, Mr Holmes, I suppose all we can do is to report[9] to you and let you know how we progress[10]. I reckon[11] you will hear[12] within a day or two." With this assurance our American bowed and departed.

---

1. **country :** 1) *le pays* (industrial countries : *les pays industriels*) ; 2) *la province,* par opposition à la capitale (a little country town : *une petite ville de province*) ; 3) *la campagne* (country life : *la vie à la campagne*) ; ici, the old country : *la Grande-Bretagne,* par opposition à l'Amérique.
2. **sure enough :** *effectivement, à coup sûr, c'est bien vrai.*
3. **to explain** se construit toujours avec to, même quand il est suivi d'un pronom (**explain to me** : *expliquez-moi*).
4. **relations :** ici *parents, parentes ;* **close relation** : *proche parent.* **Relatives** est utilisé dans le même sens.
5. **agony :** 1) *angoisse* (to suffer agony : *être au supplice*) ; 2) *agonie ;* **agony column,** colonnes des petites annonces dans les journaux pour demander des nouvelles de disparus.
6. **dear me !** *mon Dieu, vraiment ! ;* les 2 mots <u>dear me</u> sont très accentués ; mais, **he is <u>dear</u> to me** : *il m'est cher.*
7. **leisure** ['leʒə] : *loisir* (au sing. et au pl.) ; **how do you spend your leisure** : *comment occupez-vous vos loisirs.*

Ensuite, j'essayai le vieux continent. Le nom était bien là dans l'annuaire du téléphone de Londres. J'allai le trouver il y a deux jours et je lui expliquai toute l'histoire. Mais c'est un homme solitaire, comme moi, avec quelques parentes féminines mais pas d'hommes dans sa famille. Il est précisé dans le testament trois adultes mâles. Alors vous voyez, nous avons encore une place vacante, et si vous pouvez nous aider à la remplir, nous serions tout prêts à payer vos honoraires.

— Eh bien, Watson ? me dit Holmes en souriant. Je vous avais prévenu que c'était assez rocambolesque, n'est-ce pas ? J'aurais cru, monsieur, que le moyen le plus sûr pour le trouver était d'insérer une annonce personnelle dans les journaux.

— C'est ce que j'ai fait, monsieur Holmes. Aucune réponse.

— Mon Dieu ! Il s'agit certainement d'un très curieux petit problème. J'y jetterai peut-être un coup d'œil à mes moments perdus. Au fait, c'est curieux que vous veniez de Topeka. J'avais autrefois un correspondant (il est mort aujourd'hui), le vieux Dr Lysander Starr qui fut maire en 1890.

— Brave vieux Dr Starr ! s'exclama notre visiteur. Son nom est encore honoré là-bas. Eh bien, monsieur Holmes, je suppose que tout ce que nous pouvons faire est de vous rendre compte de nos démarches et de vous tenir au courant des progrès accomplis. Je pense que vous aurez de nos nouvelles avant un jour ou deux. » Sur cette promesse, notre Américain salua et sortit.

---

8. ▲I **used to** : n'existe qu'au passé et s'emploie pour une action ou un état habituel dans le passé, généralement en opposition avec le présent (rendu en fr. par : *autrefois j'avais l'habitude de*). Ne pas confondre avec I **am used to** + nom ou gérondif, *je suis habitué(e) à*.

9. ▲ **to report** : *relater, rendre compte, faire un rapport, sur* ; *de nos démarches* est ajouté pour la clarté du texte.

10. **let you know how we progress** : m. à m. : *vous laisser savoir (faire savoir) comment nous progressons*.

11. **to reckon** ['rekən] : *compter, calculer* ; au sens américain : *supposer, estimer, croire, avoir idée*.

12. **you will hear** : *from me* est ici sous-entendu.

Holmes had lit his pipe, and he sat for some time with a curious smile upon his face.

"Well ?" I asked at last.

"I am wondering [1], Watson — just wondering !"

"At what ?"

Holmes took his pipe from his lips.

"I am wondering, Watson, what on earth [2] could be the object of this man in telling us such a rigmarole [3] of lies. I nearly asked him so — for there are times [4] when a brutal frontal attack is the best policy [5] — but I judged it better [6] to let him think he had fooled [7] us. Here is a man with an English coat frayed at the elbow and trousers bagged at the knee with a year's wear [8], and yet by this document and by his own account he is a provincial American lately landed in London. There have been no advertisements in the agony columns. You know that I miss nothing there. They are my favourite covert [9] for putting up [10] a bird, and I would never have overlooked [11] such a cock [12] pheasant as that. I never knew a Dr Lysander Starr, of Topeka. Touch him where you would he was false. I think the fellow is really an American, but he has worn his accent smooth [13] with years of London. What is his game, then, and what motive lies behind this preposterous search for Garridebs ? It's worth our attention, for, granting that [14] the man is a rascal, he is certainly a complex and ingenious [15] one.

---

1. **to wonder :** *se demander, vouloir savoir ;* I wonder why : *je voudrais bien savoir pourquoi.*

2. **earth :** *terre ;* dans les expressions **why on earth, where on earth :** *pourquoi diable, où diable.* Ici **what on earth could be,** m. à m. : *que diable pouvait être.*

3. **rigmarole :** *galimatias, litanie,* rendu ici par *kyrielle.* Mais *litanie* au sens religieux se dit **litany.**

4. **there are times :** m. à m. : *il y a des moments.*

5. **Δpolicy :** ici *politique, ligne de conduite* (également *police d'assurance*). Mais *la politique* au sens de sciences politiques se dit **politics (I study politics).**

6. **I judged it better to :** m. à m. : *j'ai jugé mieux de.*

7. **to fool :** *duper, mystifier, berner ;* mais **to fool about** ou **around** signifie *flâner, perdre son temps, faire le sot.*

Holmes avait allumé sa pipe et il demeura quelque temps assis, un curieux sourire flottant sur ses lèvres.

« Alors ? lui demandai-je enfin.

— Je voudrais savoir, Watson, je voudrais bien savoir...

— Quoi donc ? »

Holmes retira sa pipe de sa bouche.

« Je me demande, Watson, quel pourrait bien être le mobile qui pousse cet homme à nous raconter une telle kyrielle de mensonges. J'ai failli le lui demander — car il arrive parfois qu'une attaque de front brutale soit la meilleure des politiques — mais j'ai estimé plus judicieux de le laisser croire qu'il nous avait bernés. Voici un individu qui porte une veste anglaise effilochée au coude et un pantalon qui fait des poches aux genoux à force d'avoir été porté, et pourtant d'après ce document et d'après ce qu'il raconte, il est un Américain de province fraîchement débarqué à Londres. Il n'y a eu aucune annonce personnelle dans les journaux. Vous savez que je n'en manque pas une. Elles constituent mon gîte préféré pour lever un oiseau et je n'aurais jamais laissé échapper un faisan comme celui-là. Je n'ai jamais connu de Dr Lysander Starr à Topeka. Sondez-le où vous voulez, tout sonne faux. Je pense que le type est vraiment américain mais il a usé son accent après des années de vie à Londres. Quel jeu joue-t-il alors, et quel mobile se cache derrière cette absurde recherche de Garrideb. Tout ceci mérite notre attention, car si l'on admet que l'homme est un coquin, il est sûrement d'une nature complexe et rusée.

---

8. **with a year's wear** : m. à m. : *avec une année d'usure.* Mais **wear** signifie également *vêtements* (**men's wear, children's wear** : *vêtements pour hommes, pour enfants*).

9. **covert** (ou **cover**) : *abri, gîte* (terme de chasse).

10. **to put up :** ici terme de chasse, *lever, faire envoler.*

11. **to overlook** : ici sens de *laisser échapper, négliger ;* également *avoir vue sur, donner sur, dominer un endroit.*

12. **cock** : *coq ;* en composition, *mâle d'oiseaux.*

13. m. à m. : *il a usé son accent jusqu'à ce qu'il devienne doux ;* à rapprocher de **to wear a coat threadbare** : *user un manteau jusqu'à la corde.*

14. **granting that** (ou **granted that**) : *si l'on admet que, en admettant que.*

15. **ingenious** : *ingénieux ;* mais **ingenuous** : *candide, naïf.*

We must find out if our other correspondent is a fraud also. Just ring him up, Watson."

I did so[1], and heard a thin, quavering voice at the other end of the line.

"Yes, yes, I am Mr Nathan Garrideb. Is Mr Holmes there ? I should very much like to have a word with Mr Holmes."

My friend took the instrument and I heard the usual syncopated dialogue[2].

"Yes, he has been here. I understand that you don't know him... How long[3] ?... Only two days !... Yes, yes, of course, it is a most captivating prospect[4]. Will you be at home this evening ? I suppose your name-sake will not be there ?... Very good, we will come then, for I would rather[5] have a chat[6] without him... Dr Watson will come with me... I understand from your note that you did not go out often... Well, we shall be round[7] about six. You need not mention it to the American lawyer... Very good. Good-bye !"

It was twilight[8] of a lovely spring evening, and even Little Ryder Street, one of the smaller offshoots[9] from the Edgware Road, within a stone-cast of old Tyburn tree[10] of evil memory, looked golden and wonderful[11] in the slanting rays of the setting sun. The particular house to which we were directed was a large, old-fashioned, Early Georgian[12] edifice, with a flat brick face broken only by two deep bay[13] windows on the ground floor.

---

1. **I did so :** did représente le verbe de la phrase précédente **ring up** ; d'où, *je l'appelai, je m'exécutai.*
2. **the usual syncopated dialogue :** Watson qui assiste souvent aux coups de téléphone de Holmes n'entend chaque fois que la moitié du dialogue, donc un dialogue syncopé.
3. **how long :** question concernant la notion de durée : *pendant* ou *depuis combien de temps ?* **how often** introduit une notion de fréquence : *tous les combien ?*
4. **prospect :** *perspective* (au sens propre et figuré).
5. **I would rather** + inf. sans *to : je préférerais, j'aimerais mieux ;* I would prefer to have... est une tournure possible mais plus lourde.
6. **to have a chat :** *avoir une conversation familière, faire un brin de causette ;* to chat : *bavarder, causer.*

Nous devons maintenant découvrir si notre autre correspondant est lui aussi un imposteur. Appelez-le donc au téléphone, Watson. »

Je m'exécutai et au bout du fil j'entendis une voix fluette et chevrotante.

« — Oui, oui, je suis bien Mr Nathan Garrideb. Mr Holmes est-il là ? J'aimerais beaucoup dire un mot à Mr Holmes. »

Mon ami prit l'appareil et j'entendis l'habituel dialogue syncopé.

« Oui, il est venu ici. Je crois que vous ne le connaissez pas... Depuis combien de temps ?... Deux jours seulement ! Oui, bien sûr, c'est une perspective merveilleuse. Serez-vous chez vous ce soir ? Je suppose que votre homonyme ne sera pas là ?... Très bien, nous viendrons donc, car j'aimerais mieux bavarder avec vous sans lui... Le Dr Watson m'accompagnera... J'ai cru comprendre d'après votre lettre que vous ne sortiez pas souvent... Bon, nous serons chez vous vers six heures. Nul besoin d'en informer notre juriste américain... Très bien. Au revoir ! »

Une belle journée de printemps touchait au crépuscule. Même Little Ryder Steet — l'une des plus petites voies qui partait d'Edgware Road, à un jet de pierre de la vieille potence de sinistre mémoire — prenait de merveilleuses teintes dorées sous les rayons obliques du soleil couchant. La maison particulière vers laquelle on nous dirigea était une vaste construction vieillotte, de style ancien, dont la place façade de brique était seulement coupée par deux grandes baies en saillie au rez-de-chaussée.

---

7. **to be round** (ou **to be over**) : *aller chez qqn.*
8. **it was twilight... evening :** m. à m. : *c'était le crépuscule d'une belle soirée de printemps.*
9. **offshoot :** *rejet* (d'un arbre), *rejeton* d'une famille ; ici *petite rue* partant d'une grande artère.
10. **Tyburn :** carrefour à l'ouest de Londres où se dressait la potence ; **Tyburn tree**, nom désuet de *la potence.*
11. m. à m. : *semblait dorée et merveilleuse.*
12. **Early Georgian :** style couvrant la période 1714-1750 sous le règne des deux premiers rois George d'Angleterre, marqué par un retour au classicisme d'influence italienne en réaction au style baroque de la reine Anne (cf. p. 131).
13. **bay** (ou **bow**) **window :** fenêtre à 3 baies faisant saillie.

It was on this ground floor [1] that our client lived, and, indeed, the low windows proved to be the front of the huge room in which he spent his waking hours. Holmes pointed [2] as we passed to the small brass plate which bore the curious name.

"Up some years [3], Watson," he remarked, indicating its discoloured surface. "It's *his* real name, anyhow, and that is something to note."

The house had a common stair [4], and there were a number of names painted in the hall, some indicating offices and some private chambers [5]. It was not a collection of residential flats, but rather the abode [6] of Bohemian bachelors. Our client opened the door for us himself and apologized [7] by saying that the woman in charge [8] left at four o'clock. Mr Nathan Garrideb proved to be a very tall, loose-jointed, round-backed person, gaunt and bald, some sixty-odd [9] years of age. He had a cadaverous face, with the dull dead skin [10] of a man to whom exercise was unknown [11]. Large round spectacles and a small projecting goat's beard combined with his stooping attitude to give him an expression of peering [12] curiosity. The general effect, however, was amiable, though eccentric.

The room was as curious as its occupant. It looked like a small museum. It was both [13] broad and deep, with cupboards and cabinets all round, crowded with specimens, geological and anatomical.

---

1. **this ground floor :** ce *rez-de-chaussée,* rendu, pour éviter la répétition, par *justement là.*
2. **to point to sth** ou **sb :** *montrer, désigner qqch* ou *qqn ;* to point out : *faire remarquer, signaler* (du doigt).
3. **up some years :** expression concise pour it goes up to some years ago (ou plus couramment, it goes back to some years ago).
4. **stair** ou **stairs** ou **staircase :** *escalier ;* stair : *marche.*
5. **chambers :** terme désuet, *appartement, garçonnière.*
6. **abode :** terme recherché, *demeure, résidence ;* to abide (abode, abode) : *demeurer, séjourner ;* to abide by a rule : *se conformer à une règle.*
7. **to apologize for** + nom ou gérondif : *s'excuser de.*
8. **woman in charge :** *femme de charge ;* on dirait aujourd'hui, **charwoman** ou **housekeeper.**

116

C'était justement là que notre client habitait, et en fait ces fenêtres du bas se révélèrent être le devant de l'immense pièce où il passait ses heures de veille. En passant, Holmes me montra du doigt la petite plaque de cuivre qui portait ce curieux nom.

« Elle remonte à pas mal d'années, Watson, me dit-il en indiquant la surface décolorée. C'est son vrai nom, en tout cas, et il faut en prendre bonne note. »

La maison avait un escalier commun, et il y avait un certain nombre de noms peints dans l'entrée, certains indiquant des bureaux et d'autres des appartements privés. Ce n'était pas un ensemble résidentiel, mais plutôt la demeure de célibataires bohèmes. Notre client nous ouvrit lui-même la porte et s'excusa en disant que la femme de charge s'en allait à quatre heures. M. Nathan Garrideb se révéla être un homme très grand, dégingandé, voûté, maigre et chauve, qui pouvait avoir une soixantaine d'années. Il avait un visage cadavérique et la peau blême d'un homme qui ne prend jamais d'exercice. De grosses lunettes rondes et un petit bouc en pointe se combinaient avec son attitude voûtée pour lui donner une expression de curiosité inquisitoriale. L'allure générale, cependant, était empreinte d'amabilité bien qu'excentrique.

La pièce était aussi curieuse que son occupant. Elle ressemblait à un petit musée. Elle était à la fois large et profonde, avec tout autour des armoires et des meubles à tiroirs bourrés de spécimens géologiques et anatomiques.

---

9. **Δodd** précédé d'un chiffre = *environ, à peu près, un peu plus de* (**thirty odd pounds** : *environ une trentaine de livres*) ; mais **odd number** : *un chiffre impair* (*pair* = **even**) ; **odd** signifie également *étrange* (comme **strange, queer**).

10. m. à m. : *une peau mortellement terne,* d'où *livide.*

11. **to whom excercise was unknown** : m. à m. : *à qui l'exercice était inconnu* (**whom** est l'accusatif du relatif **who**).

12. **to peer at** ou **into** : *scruter, plonger le regard ;* **peering** : *scrutateur, inquisiteur, qui exprime la curiosité.*

13. Δ **both** suivi de 2 adj. ou de 2 noms = *à la fois* (**he was both o poet and a painter** : *il était à la fois poète et peintre*) ; mais **I want both** : *je veux les deux* (ensemble).

Cases [1] of butterflies and moths [2] flanked each side of the entrance. A large [3] table in the centre was littered with [4] all sorts of debris, while the tall brass tube of a powerful microscope bristled up [5] among them [6]. As I glanced round I was surprised at the universality of the man's interests. Here was a case of ancient coins [7]. There was a cabinet [8] of flint instruments. Behind his central table was a large cupboard of fossil cones [9]. Above was a line of plaster skulls with such names as "Neanderthal", "Heidelberg", "Cromagnon [10]" printed beneath them [11]. It was clear that he was a student [12] of many subjects. As he stood in front of us now, he held a piece of chamois leather in his right hand with which he was polishing a coin.

"Syracusan [13] —of the bes period," he explained, holding it up. "They degenerated greatly towards the end. At their best I hold them supreme [14], though some prefer the Alexandrian school [15]. You will find a chair here, Mr Holmes. Pray allow me to clear these bones. And you, sir — ah, yes, Dr. Watson — if you would have the goodness [16] to put the Japanese vase to one side. You see round me my little interests in life. My doctor lectures [17] me about never going out, but why should I go out when I have so much to hold me here ? I can assure you that the adequate cataloguing of one of those cabinets would take me three good months."

Holmes looked round him with curiosity.

---

1. **case** : caisse, boîte, étui, coffre ; ici, vitrine.
2. **moth** : mite, papillon de nuit ou insecte en général.
3. ▲ **large** : grand, considérable, volumineux (a large family : une famille nombreuse) ; large : broad, wide.
4. **to litter with** : joncher de, encombrer de choses en désordre ; do not litter : défense de jeter des ordures (U.S.).
5. **to bristle up** : se hérisser, se rebiffer (pour une pers.).
6. m. à m. : tandis que le grand tube d'un puissant microscope se dressait au milieu d'eux.
7. **coin** : pièce de monnaie, mais donner la monnaie se dit to give the change.
8. **cabinet** : ici meuble à tiroirs pour collections.
9. **cone** : cône, coquillage qui vit sur les rochers.
10. **Neanderthal, Heidelberg, Cromagnon :** noms des

Des vitrines contenant des papillons et des insectes étaient disposées de chaque côté de la porte. Au centre une grande table était jonchée de toutes sortes de débris, au milieu desquels surgissait le grand tube en cuivre d'un puissant microscope. En regardant autour de moi, je fus surpris par la portée universelle des centres d'intérêts de cet homme. Ici, une vitrine de pièces anciennes. Là, des tiroirs pleins d'instruments en silex. Derrière la table du milieu, une grande armoire remplie de coquillages fossilisés. Au-dessus, une série de crânes en plâtre dont les noms de « Neanderthal », « Heidelberg », « Cromagnon » étaient inscrits sur chaque socle. Il était clair que c'était un homme qui étudiait quantité de sujets divers. Tandis qu'il était debout devant nous, il tenait dans sa main droite une peau de chamois avec laquelle il faisait briller une pièce de monnaie.

« Syracuse, et de la meilleure époque ! nous expliqua-t-il en la tenant en l'air. Elles ont perdu beaucoup de leur valeur vers la fin. Je considère celles de la meilleure époque comme les plus belles, bien que certains préfèrent l'école d'Alexandrie. Vous trouverez une chaise ici, monsieur Holmes. Je vous en prie permettez-moi de déblayer ces os. Et vous, monsieur... Ah ! oui, docteur Watson !... Si vous vouliez avoir l'obligeance de pousser sur le côté ce vase japonais. Vous voyez réunis autour de moi les centres d'intérêts qui occupent ma vie. Mon médecin me sermonne parce que je ne sors jamais, mais pourquoi sortirais-je quand tant de choses me retiennent ici ? Je puis vous assurer que l'inventaire détaillé de l'un de ces meubles me prendrait bien trois bons mois. »

Holmes inspecta les lieux avec curiosité.

---

lieux où furent découverts les crânes des premiers hommes.
11. m. à m. : *avec des noms tels que... inscrits en dessous.*
12. **a student :** *un étudiant, celui qui étudie beaucoup.*
13. **Syracusan :** (adj.), *originaire de Syracuse,* grand centre de la culture grecque (V^e-IIIe s. av. J.-C.).
14. m. à m. : *à leur mieux, je les tiens pour suprêmes.*
15. **the Alexandrian school :** *l'école d'Alexandrie,* au IVe siècle av. J.-C., fut un grand foyer de civilisation.
16. **goodness :** *bonté* ; **my goodness :** *mon Dieu !* **thank goodness :** *Dieu merci !* (**good gracious :** *bonté divine !*)
17. ▲ to lecture : 1) *faire une conférence* (**lecturer :** *conférencier*) ; 2) *sermonner, faire la morale, réprimander.*

"But do you tell me[1] that you *never* go out ?" he said.

"Now and again[2] I drive[3] down[4] to Sotheby's or Christie's[5]. Otherwise I very seldom leave my room. I am not too strong, and my researches are very absorbing. But you can imagine, Mr Holmes, what a terrific shock — pleasant but terrific — it was for me when I heard of this unparalleled good fortune. It only needs one more Garrideb to complete[6] the matter, and surely we can find one. I had a brother, but he is dead, and female relatives are disqualified. But there must surely be others in the world. I had heard that you handled strange cases, and that was why I sent to you. Of course, this American gentleman is quite right[7], and I should have taken his advice first, but I acted for the best."

"I think you acted very wisely indeed," said Holmes. "But are you really anxious to[8] acquire an estate in America ?"

"Certainly not, sir. Nothing would induce me to leave my collection. But this gentleman has assured me that he will buy me out[9] as soon as we have established our claim. Five million dollars was the sum named[10]. There are a dozen specimens in the market at the present moment which fill gaps[11] in my collection, and which I am unable to purchase for want of[12] a few hundred pounds. Just think what I could do with five million dollars.

---

1. **do you tell me** : *me dites-vous ?* (pour demander confirmation, d'où, *est-ce bien vrai ?*).
2. **now and again** : *de temps à autre ;* se dit aussi **now and then** ou **from time to time**.
3. **to drive to a place** : *se rendre en voiture à un endroit* (ici il s'agit d'un fiacre) ; **to walk to** : *se rendre à pied ;* **to fly to** : *se rendre par avion...*
4. **down** : indique ici un mouvement d'éloignement par rapport à un point central, son domicile
5. **Sotheby's** et **Christie's** sont les deux célèbres maisons de vente aux enchères d'objets d'art de Londres. La première fut fondée en 1744 (c'est aussi la plus importante) et la seconde en 1766 par James Christie.
6. **to complete** : *compléter, terminer ; mener à bien.*

« Mais est-ce exact que vous ne sortez vraiment jamais ? demanda Holmes.

— De temps à autre je vais en fiacre chez Sotheby ou chez Christie. Autrement je quitte rarement cette pièce. Je ne suis pas trop bien portant et mes recherches sont très absorbantes. Mais vous pouvez vous douter, monsieur Holmes, quel terrible choc — agréable mais terrible — j'ai éprouvé quand j'ai appris cette bonne fortune inespérée. Il nous faut juste un Garrideb de plus pour régler le problème, et sûrement nous pouvons en trouver un. J'avais un frère mais il est mort, et les parentes, en tant que femmes, sont disqualifiées. Mais il doit certainement y en avoir d'autres de par le monde. J'avais entendu dire que vous vous occupiez d'affaires sortant de l'ordinaire et c'est pourquoi j'ai fait appel à vous. Bien sûr, ce gentleman américain a tout à fait raison et j'aurais dû d'abord prendre son avis, mais j'ai agi pour le mieux.

— Je pense que vous avez en fait agi très sagement, lui dit Holmes. Mais êtes-vous réellement désireux d'acquérir un domaine en Amérique ?

— Certainement pas, monsieur ! Rien ne pourrait me pousser à quitter mes collections. Mais ce gentleman m'a donné l'assurance qu'il me rachèterait ma part aussitôt que nous aurons établi nos droits. Il m'a parlé d'une somme de cinq millions de dollars. Il y a une douzaine de spécimens actuellement sur le marché qui manquent à ma collection et que je suis incapable d'acheter faute de quelques centaines de livres. Pensez un peu à ce que je pourrais faire avec cinq millions de dollars !

---

7. **△to be right, to be wrong** : *avoir raison, avoir tort.* **To be** + adj. correspond souvent en fr. à *avoir* + nom : **to be cold, hot, hungry, thirsty, lucky, sleepy...** *avoir froid, chaud, faim, soif, de la chance, sommeil...*

8. **△to be anxious to do sth** (ou **for sth**) : *être très désireux, impatient de ;* **to be anxious about sth** : *être anxieux, inquiet au sujet de, être soucieux, ennuyé de.*

9. **to buy out** : *désintéresser* un associé, lui *racheter sa part,* acheter le désistement de qqn.

10. m. à m. : *cinq millions de dollars était la somme dite.*

11. **to fill a gap** : *remplir un vide, un trou, une lacune.*

12. **△want** : *manque, besoin, indigence ;* **for want of** : *faute de ;* **to be in want** : *être dans le besoin.*

Why [1], I have the nucleus of a national collection. I shall be the Hans Sloane [2] of my age."

His eyes gleamed [3] behind his great spectacles. It was very clear that no pains would be spared by Mr. Nathan Garrideb in finding [4] a namesake.

"I merely called [5] to make your acquaintance, and there is no reason why I should [6] interrupt your studies," said Holmes. "I prefer to establish personal touch [7] with those with whom I do business [8]. There are few [9] questions I need ask [10], for I have your very clear narrative in my pocket, and I filled up the blanks when this American gentleman called. I understand that up to this week you were unaware of [11] his existence."

"That is so. He called last Tuesday."

"Did he tell you of our interview to-day ?"

"Yes, he came straight back to me. He had been very angry [12]."

"Why should he be angry ?"

"He seemed to think it was some reflection on his honour. But he was quite cheerful again when he returned."

"Did he suggest any course of action ?"

"No, sir, he did not."

"Has he had, or asked for [13], any money from you ?"

"No, sir, never !"

"You see no possible object he has in view ?"

"None, except what he states."

---

1. **why :** ici interjection : *eh bien ! ah ! tiens ! voyons !*
2. **Hans Sloane** (1660-1753) : médecin et botaniste anglais dont les collections ont formé la base du British Museum.
3. **to gleam :** *luire, jeter une lueur faible et passagère.*
4. m. à m. : *aucune peine ne serait épargnée par Mr Garrideb* (la forme passive anglaise est rendue par un pronominal en fr.), *dans son action de découvrir* (**finding** est au gérondif car il suit une préposition — ici, **in**).
5. **to call :** ici *faire une visite à qqn, venir voir qqn.*
6. **should :** après des expressions comme I don't know why, I see no reason why, I can't think why, on emploie should car la personne qui parle éprouve un doute quant au bien-fondé d'une supposition ou d'une hypothèse.
7. **to be in touch :** *être en rapport avec, faire signe à ;* to keep in touch : *rester en contact.*

Ah ! j'ai l'embryon d'une collection nationale... Je serai le Hans Sloane de mon époque. »

Ses yeux brillaient derrière ses grosses lunettes. Il était clair que Mr Nathan Garrideb ne s'épargnerait aucune peine pour découvrir un homonyme.

« Je suis simplement venu pour faire votre connaissance, dit Holmes, et il n'y a aucune raison pour que j'interrompe vos travaux. Je préfère établir un contact personnel avec ceux avec qui je traite. Je n'ai que peu de questions à vous poser car j'ai dans ma poche votre récit qui est très clair, et j'ai comblé les blancs quand l'Américain est venu me voir. Je crois comprendre que jusqu'à cette semaine, vous ignoriez son existence ?

— C'est exact. Il m'a rendu visite mardi dernier.

— Vous a-t-il parlé de notre entrevue d'aujourd'hui ?

— Oui, il est revenu tout droit chez moi. Avant cela, il était très en colère.

— Pourquoi aurait-il été en colère ?

— Il semblait croire que c'était une sorte d'atteinte à son honneur. Mais après sa visite chez vous, il paraissait tout à fait calmé.

— A-t-il suggéré un mode d'action ?

— Non, monsieur, il n'a rien suggéré du tout.

— A-t-il reçu de l'argent de votre part, ou vous en a-t-il demandé ?

— Non, monsieur, jamais.

— Vous ne voyez pas quel objectif il peut avoir en vue ?

— Non, excepté celui dont il fait état.

---

8. **to do business with sb** : *faire des affaires avec qqn.*
9. **few questions** : *(que) peu de questions ;* **few** et **little** sans article insistent sur la petite quantité (**few people** : *bien peu de gens*) ; **a few, a little** : *quelques, un peu de* (**a few friends** : *quelques amis*).
10. **need** est employé ici comme un défectif (il n'est pas suivi de **to**) ; **I need ask** : *j'ai besoin de demander.*
11. **to be unaware of** : *ne pas être conscient (au courant) de, ignorer, ne pas se douter de qqch.*
12. **he had been very angry** : *il avait été très en colère* (avant son entrevue avec Holmes qui l'a rassuré) ; le plus-que-parfait marque l'antériorité d'une action par rapport à une action ou à un moment du passé.
13. **has he** est ici sous-entendu = **has he had any money from you** ou **has he asked for any money from you.**

123

"Did you tell him of our telephone appointment ?"

"Yes, sir, I did."

Holmes was lost in thought [1]. I could see that he was puzzled [2].

"Have you [3] any articles of great value in your collection ?"

"No, sir. I am not a rich man. It is a good collection, but not a very valuable one."

"You have no fear of burglars [4] ?"

"Not the least."

"How long [5] have you been in these rooms [6] ?"

"Nearly five years."

Holmes's cross-examination was interrupted by an imperative knocking at the door. No sooner had our client unlatched it than [7] the American lawyer burst excitedly into [8] the room.

"Here you are !" he cried, waving a paper over his head. "I thought I should be in time [9] to get you [10]. Mr Nathan Garrideb, my congratulations ! You are a rich man, sir. Our business is happily finished and all is well. As to you, Mr Holmes, we can only [11] say we are sorry if we have given you any useless trouble [12]."

He handed over the paper to our client, who stood staring [13] at a marked advertisement [14]. Holmes and I leaned forward and read it over his shoulder. This is how it ran [15] :

---

1. **lost in thought** : *perdu dans ses pensées* (noter l'omission de l'article) ; **thought** [θɔːt] : *pensée, méditation ; **on second thought** : à la réflexion, tout bien considéré.*

2. **to puzzle** : *intriguer, déconcerter ; **a puzzle** : une énigme ; **a jigsaw puzzle** : un jeu de patience, un puzzle.*

3. **have you** : *forme désuète ; on dirait aujourd'hui **do you have** ? ou **have you got** ?*

4. **burglar** : *voleur* (également **thief**, **robber**), *cambrioleur.*

5. Δ**how long** introduit une question généralement formulée au **present perfect** (la durée de l'action est inachevée au moment de la question) ; **for**, qui permet de répondre à **how long**, est ici omis dans la réponse pour alléger.

6. **rooms** : *des chambres*, évoque ici un petit appartement.

7. m. à m. : *pas plus tôt notre client avait-il enlevé le loquet que...* (inversion verbe-sujet après **no sooner**).

— Lui avez-vous parlé du rendez-vous que nous avons pris par téléphone ?

— Oui, monsieur, je lui ai dit. »

Holmes était perdu dans ses pensées. Je pouvais voir qu'il était intrigué.

« Avez-vous quelque pièce de grande valeur dans votre collection ?

— Non, monsieur. Je ne suis pas riche. C'est une bonne collection mais pas d'une très grande valeur.

— Vous n'avez pas peur des cambrioleurs ?

— Pas le moins du monde.

— Depuis combien de temps habitez-vous ici ?

— Presque cinq ans. »

Ce contre-interrogatoire de Holmes fut interrompu par des coups impératifs frappés à la porte. A peine notre client l'eut-il ouverte que le juriste américain entra dans la pièce en coup de vent.

« Ah ! vous voilà ! s'écria-t-il en brandissant un journal au-dessus de sa tête. Je pensais bien que j'arriverais à temps pour vous trouver. Monsieur Nathan Garrideb, mes félicitations ! Vous êtes un homme riche, monsieur. Notre affaire se termine heureusement et tout va bien. Quant à vous, monsieur Holmes, il ne nous reste qu'à nous excuser de vous avoir dérangé inutilement. »

Il tendit le journal à notre client qui tomba en arrêt devant une annonce signalée d'une croix. Holmes et moi nous penchâmes en avant et la lûmes par-dessus son épaule. Voici comment elle était rédigée :

---

8. **to burst (burst, burst)** : *éclater ;* **to burst in** ou **into** : *faire irruption* (**excitedly** : *avec agitation*).

9. **△ in time** : *à temps ;* **on time** : *à l'heure ;* **in good time** : *en temps utile ;* **in due time** : *à l'heure dite.*

10. **to get you** : *un des nombreux sens de* **to get** *est trouver* (**where did you get that** ? *où avez-vous trouvé ça ?*).

11. **only** : *seulement* ou *ne... que ;* ici, m. à m. : *nous pouvons seulement dire que nous sommes désolés.*

12. **trouble** : *peine, dérangement, souci, problème ;* **to give trouble** : *déranger ;* **to get into trouble** : *avoir des ennuis.*

13. m. à m. : *était debout (se tenait) regardant fixement.*

14. **advertisement** [əd'vəːtismənt] : *annonce, publicité.*

15. **to run** *signifie ici être conçu, avoir comme teneur.*

125

"Glorious !" gasped [7] our host. "That makes our
third man."

"I had opened up [8] inquiries in Birmingham," said
the American, "and my agent there has sent me this
advertisement from a local paper. We must hustle and
put the thing through [9]. I have written to this man and
told him that you will see him in his office to-morrow
afternoon at four o'clock."

"You want me to see him ?"

"What do you say, Mr Holmes ? Don't you think it
would be wiser ? Here am I, a wandering American
with a wonderful tale [10]. Why should he believe what
I tell him ? But you are a Britisher [11] with solid
references, and he is bound to [12] take notice of what
you say. I would go with you if you wished, but I
have a very busy day tomorrow, and I could always
follow you if you are in any trouble."

"Well, I have not made such a journey [13] for years."

"It is nothing, Mr Garrideb. I have figured out your
connections [14]. You leave at twelve and should be
there soon after two.

---

1. **binder** : ici *lieuse* (machine agricole) ; to bind (bound,
bound) : *lier, relier ; binding : lien, ligature, reliure*.
2. **plough** (ou **plow** U.S.) [plau] : *charrue*.
3. **drill** : ici *semoir*, mais aussi *perceuse, foreuse, roulette
de dentiste* ; autre sens, *manœuvres militaires, exercices
oraux répétitifs* (de grammaire par ex.).
4. **buckboard** : terme U.S. désuet désignant *un chariot*
composé d'une longue planche montée sur quatre roues.
5. **appliance** : *appareil, instrument ;* **electric household
appliances** : *appareils électroménagers*.
6. **estimate** : *évaluation, devis*.
7. **to gasp** : *haleter, suffoquer* (d'émotion, de colère...),
sursauter, avoir le souffle coupé (ici, de surprise).
8. **to open up** : souvent employé pour *ouvrir une boutique*

« Formidable ! s'écria notre hôte. Cela nous fait notre troisième homme.

— J'avais ouvert une enquête à Birmingham, dit l'Américain, et mon agent sur place m'a envoyé cette annonce parue dans un journal local. Nous devons nous dépêcher et mener à bien cette affaire. J'ai écrit à cet homme, et je lui ai dit que vous le verriez à son bureau demain après-midi à quatre heures.

— Vous voulez que ce soit moi qui le voie ?

— Qu'en dites-vous, monsieur Holmes ? Ne pensez-vous pas que ce serait plus sage ? Me voici, moi, un Américain vagabond qui arrive avec un merveilleux conte de fées... Pourquoi croirait-il ce que je lui raconte ? Mais vous, vous êtes un Anglais avec de sérieuses références, et il ne peut pas manquer de tenir compte de ce que vous lui direz. Je vous aurais bien accompagné si vous le souhaitiez, mais demain j'ai une journée très chargée ; et je pourrais toujours vous rejoindre si vous avez des problèmes.

— Mais je n'ai pas fait un tel voyage depuis des années !

— Ce n'est pas compliqué, monsieur Garrideb. J'ai étudié votre trajet avec les changements. Vous partez à midi et vous devriez arriver là-bas peu après deux heures.

---

ou *une succursale* ; a ici le sens d'*entamer*.
9. **to put through** : ici *mener à bien, faire aboutir* ; mais **to put sb through to** : *passer une communication téléphonique à qqn* (*put me through to... passez-moi...*).
10. **tale** : *conte, histoire* ; **fairy tale** : *conte de fées.*
11. **a Britisher** : *un natif de Grande-Bretagne,* souvent employé par les Américains pour désigner les Anglais.
12. **to be bound to** : passif du verbe **to bind** (cf. note 1), *être lié* (au sens moral), *être engagé, tenu, être obligé de, forcé de,* d'où *ne pas manquer de.*
13. ▲ **journey** : *voyage, trajet, parcours.*
14. m. à m. : *j'ai calculé (établi) vos changements* ; **to figure out** : *calculer,* également *résoudre* (un problème).

Then you can be back the same night. All you have to do is to see this man, explain the matter, and get an affidavit [1] of his existence. By the Lord !" he added hotly [2], "considering I've come all the way from the centre of America, it is surely little enough if [3] you go a hundred miles in order to put this matter through."

"Quite so," said Holmes. "I think what this gentleman says is very true."

Mr Nathan Garrideb shrugged his shoulders with a disconsolate [4] air. "Well, if you insist I shall [5] go," said he. "It is certainly hard for me to refuse you anything, considering the glory of hope that you have brought into my life."

"Then that is agreed," said Holmes, "and no doubt you will let me have [6] a report as soon as you can."

"I'll see to that", said the American. "Well," he added, looking at his watch, "I'll have to get on [7]. I'll call tomorrow, Mr Nathan, and see you off [8] to Birmingham. Coming my way [9], Mr Holmes ? Well, then, goodbye, and we may [10] have good news for you tomorrow night."

I noticed that my friend's face cleared when the American left the room, and the look of thoughtful perplexity had vanished.

"I wish I could [11] look over your collection, Mr Garrideb," said he.

---

1. **affidavit** : même mot en fr. : déclaration sous serment faite devant une autorité administrative.
2. **hotly** : (adverbe), *avec chaleur, avec fougue.*
3. **considering... little enough if** : *en considérant que* j'ai fait tout le chemin depuis le centre de l'Amérique, c'est sûrement *assez peu (de choses) si...*
4. **disconsolate** : *inconsolable, désolé.*
5. **shall** : auxiliaire du futur, exprime une forte détermination (l'action ne dépend pas de la volonté du sujet) ; **I shall go** : *j'irai,* parce que vous le voulez ou qu'il le faut ; alors que **will** exprime l'intention, le bon vouloir du sujet : **I will go** : *j'irai,* parce que je le veux bien.
6. m. à m. : *sans doute vous me laisserez avoir (vous me donnerez), un rapport ;* **let me have** it : *donnez-le-moi.*
7. **to get on** : ici *se mettre en route ;* également *progresser, réussir* (la postposition **on** exprime une idée de progression

Vous pouvez ensuite être de retour le soir même. Tout ce que vous devez faire est de voir cet homme, lui expliquer l'affaire, et obtenir de lui une déclaration prouvant son existence. Par le Seigneur ! ajouta-t-il en s'emportant, si l'on considère que je suis venu du centre de l'Amérique, un petit voyage de cent soixante kilomètres ne représente sûrement pas grand-chose pour mener à terme cette histoire !

— Mais bien sûr, déclara Holmes. Je pense que ce que dit ce gentleman est très juste. »

M. Nathan Garrideb haussa les épaules d'un air désolé.

« Eh bien ! si vous insistez j'irai, dit-il. Il m'est évidemment bien difficile de vous refuser quoi que ce soit, étant donné le merveilleux espoir que vous avez apporté dans ma vie.

— C'est donc entendu, dit Holmes ; et je compte sur vous pour me tenir au courant dès que vous le pourrez.

— J'y veillerai ! assura l'Américain. Bon, ajouta-t-il en regardant sa montre, il va falloir que je m'en aille. Je passerai demain, monsieur Nathan, et je vous accompagnerai jusqu'à votre train pour Birmingham. Vous venez aussi, monsieur Holmes ? Eh bien alors, au revoir ! et il se peut que nous ayons de bonnes nouvelles pour vous demain soir. »

Je remarquai que le visage de mon ami s'éclaira quand l'Américain sortit de la pièce, et son air de perplexité songeuse avait disparu.

« J'aimerais tant pouvoir examiner votre collection, monsieur Garrideb ! déclara Holmes.

---

et de continuité) ; **how are you getting on** : *comment vont les affaires ?*
8. **to see sb off :** *assister au départ de qqn, l'accompagner* jusqu'à la gare, sa voiture, la porte... pour lui dire au revoir (**off** donne ici l'idée de départ).
9. **coming my way ?** dans le langage familier, le verbe **are** est omis en début de phrase (**going home ?** *vous rentrez ?*).
10. **may** + inf. sans **to** : défectif exprimant l'incertitude, l'éventualité, rendu par *il se peut que* + verbe.
11. Δ **I wish I could :** emploi du prétérit **could** à sens de subj. présent après **to wish** pour exprimer un souhait ou un regret (**I wish you were here** : *si seulement vous étiez là* / **I wish I were rich** : *ah si j'étais riche !*)

"In my profession all sorts of odd knowledge comes useful[1], and this room of yours is a storehouse[2] of it."

Our client shone[3] with pleasure and his eyes gleamed from behind his big glasses.

"I had always heard, sir, that you were a very intelligent man," said he. "I could take you round now if you have the time."

"Unfortunately, I have not. But these specimens are so well labelled and classified that they hardly[4] need your personal explanation. If I should[5] be able to look in[6] tomorrow, I presume that there would be no objection to[7] my glancing[8] over them ?"

"None at all. You are most welcome. The place will, of course, be shut up, but Mrs Saunders is in the basement up to four o'clock and would let you in with her key."

"Well, I happen to[9] be clear tomorrow afternoon. If you would say a word to Mrs Saunders it would be quite in order. By the way, who is your house-agent ?"

Our client was amazed at the sudden question.

"Holloway and Steele, in the Edgware Road. But why ?"

"I am a bit of an archaeologist myself when it comes to houses," said Holmes, laughing. "I was wondering if this was Queen Anne[10] or Georgian."

"Georgian, beyond doubt."

"Really. I should have thought a little earlier.

---

1. Δ**to come useful** : *se révéler utile* (to come true : *se réaliser, devenir vrai ;* to come expensive : *revenir cher*).
2. **storehouse** (ou **warehouse**) : *entrepôt ;* a storehouse of information : *une mine de renseignements.*
3. **to shine (shone, shone)** : *briller, rayonner* (de joie...).
4. Δ**hardly** : *à peine, ne... guère,* considéré comme une négation ; d'où **hardly ever** : *presque jamais ;* **hardly anybody** : *presque personne.* Attention, **hard** est adj. et adverbe, *dur* et *durement* (**he works hard** : *il travaille avec acharnement*) ; mais **he hardly works** : *il travaille à peine.*
5. **if I should be able to** = **if I was able to** ; **should** (après **if**) exprime le caractère peu probable d'une hypothèse ; forme littéraire plus recherchée et plus polie.
6. **to look in** : *entrer en passant, faire une courte visite.*

Dans ma profession, connaître quantité de choses sortant de l'ordinaire peut se révéler très utile, et la pièce dans laquelle vous travaillez en est pleine. »

Notre client rougit de plaisir et ses yeux étincelèrent derrière ses grosses lunettes.

« J'ai toujours entendu dire, monsieur, que vous étiez un homme remarquablement intelligent, dit-il. Je pourrais vous en faire faire le tour maintenant si vous avez le temps.

— Malheureusement je ne peux pas. Mais tous ces échantillons sont si bien étiquetés et classés qu'ils n'ont pratiquement pas besoin de vos explications personnelles. Si je pouvais venir demain, je pense que vous n'auriez pas d'objections à ce que j'y jette un coup d'œil ?

— Pas du tout. Vous êtes le bienvenu chez moi. L'appartement sera bien sûr fermé à clef, mais Mme Saunders se trouve au sous-sol jusqu'à quatre heures et elle vous laissera entrer avec sa clef.

— Eh bien, il se trouve que je suis libre demain après-midi. Si vous aviez l'obligeance de dire un mot à Mme Saunders, ce serait parfait. Au fait, qui est votre agent de location ? »

Notre client fut stupéfait de cette question soudaine.

« Holloway & Steele, dans Edgware Road. Mais pourquoi ?

— Je suis moi-même un peu archéologue quand il s'agit de maisons, dit Holmes en riant. Je me demandais si celle-ci était de style Queen Anne ou georgien.

— Elle est de l'époque georgienne, sans aucun doute.

— Ah vraiment ! Je l'aurais crue plus ancienne.

---

7. ▲**there's no objection to** + gérondif : *il n'y a pas d'objection à ;* to est ici préposition et introduit donc une forme en -ing et non un inf. (de même **I am looking forward to seeing you** : *je me réjouis de vous voir*).

8. **my glancing** : m. à m. : *au fait que je jette un coup d'œil* (**my coming** : *mon action de venir, ma venue*).

9. **to happen to** + verbe ajoute une notion de hasard au verbe qui suit, d'où *il se trouve (par hasard) que...*

10. **Queen Anne** : reine qui régna sur l'Angleterre de 1702 à 1714 (dernière de la dynastie des Stuart). La question posée par Holmes est délicate car les deux styles se sont superposés au début du règne des George, avant de s'opposer ; la distinction est donc difficile ; cette question de spécialiste est peut-être aussi un piège pour Garrideb.

However, it is easily ascertained[1]. Well, goodbye, Mr Garrideb, and may you have every[2] success in your Birmingham journey."

The house-agent's[3] was close by[4], but we found that it was closed[5] for the day, so we made our way back to Baker Street. It was not till after dinner that Holmes reverted to the subject.

"Our little problem draws to a close[5]," said he. "No doubt you have outlined the solution in your own mind[6]."

"I can make neither head nor tail of it[7]."

"The head is surely clear enough[8] and the tail we should see tomorrow. Did you notice nothing[9] curious about that advertisement?"

"I saw that the word "plough" was misspelt[10]."

"Oh, you did notice[11] that, did you? Come, Watson, you improve all the time. Yes, it was bad English but good American. The printer had set it up as received. Then the buckboards. That is American also. And artesian wells[12] are commoner with them than with us. It was a typical American advertisement, but purporting[13] to be from an English firm. What do you make of[14] that?"

"I can only suppose that this American lawyer put it in himself. What his object was I fail to understand."

"Well, there are alternative explanations.

---

1. **to ascertain** : *constater, s'assurer d'une chose.*
2. **every** + nom sing. : *chacun, chaque*, quand on considère l'ensemble (généralement traduit par *tous* + pluriel). Ici, m. à m. : *puissiez-vous avoir tous les succès ;* de même **everyday** : *tous les jours ;* **everybody** : *tout le monde.*
3. **the house agent's :** cas possessif incomplet (**shop** est sous-entendu) : *le magasin de l'agent de location.*
4. Δ**close** [klous] : 1) adj. : *étroit, clos, confiné, attentif...* (in **close** contact : *en relations étroites*) ; 2) adv. : *tout près, tout contre* (**close by** : *tout près de nous*).
5. **to close** [klouz] : *fermer, (se) clore*, qui donne le substantif **close** : *fin, conclusion ;* **to come to a close, to draw to a close** : *arriver à sa fin, tirer à sa fin.*
6. m. à m. : *sans doute avez-vous ébauché la solution dans votre propre esprit.*

Toutefois, cela peut se vérifier facilement. Eh bien au revoir, monsieur Garrideb, et puissiez-vous réussir en vous rendant à Birmingham. »

L'agence de location était tout près, mais nous découvrîmes qu'elle était fermée pour la journée, et nous rentrâmes donc à Baker Street. C'est seulement après le dîner que Holmes revint sur le sujet.

« Notre petit problème touche à sa fin, me dit-il. Sans doute avez-vous à l'esprit l'ébauche de la solution ?

— Je n'y comprends rien du tout ; cela n'a ni queue ni tête.

— La tête est sûrement assez claire, et la queue nous devrions la voir demain. N'avez-vous rien remarqué de curieux dans cette annonce ?

— J'ai vu que le mot « plough » était mal orthographié.

— Oh ! vous avez remarqué cela, n'est-ce-pas ? Ma foi, Watson, vous faites des progrès tous les jours. Oui, c'était écrit en mauvais anglais, mais en bon américain. L'imprimeur l'a fait paraître telle qu'il l'a reçue. Et le mot chariot, c'est américain également. Et les puits artésiens sont plus fréquents chez eux que chez nous. C'était une annonce typiquement américaine mais prétendant émaner d'une entreprise anglaise. Que pensez-vous de cela ?

— Je ne peux qu'en déduire que ce juriste américain l'a fait insérer lui-même dans le journal. Quel était son but est une chose que je n'arrive pas comprendre.

— Eh bien, il y a diverses explications possibles.

---

7. **a story one can't make head or tail of :** *une histoire sans queue ni tête,* à laquelle on ne comprend rien.
8. **clear enough :** *assez clair ;* noter la place de **enough** après l'adj., mais avant le nom (**I have enough money** : *j'ai assez d'argent*).
9. **did you notice nothing :** forme désuète, on dirait aujourd'hui **didn't you notice anything**.
10. **misspelt :** mal orthographié ; **to spell (spelt, spelt)** : *épeler, orthographier.*
11. **you did notice :** forme d'insistance de **you noticed**.
12. **artesian wells :** la géologie des U.S.A. se prête plus au forage des *puits artésiens* que celle de la G.B.
13. **to purport :** *avoir pour objet d'annoncer* (pour une lettre ou un document), *tendre à montrer* ou *à paraître.*
14. **to make of :** *faire de, penser de, comprendre à.*

Anyhow, he wanted to get this good old fossil up to Birmingham. That is very clear. I might have told him that he was clearly going on a wild-goose chase [1], but, on second thoughts, it seemed better to clear the stage by letting him go. Tomorrow, Watson — well, tomorrow will speak for itself [2]."

Holmes was up and out [3] early. When he returned at lunchtime [4] I noticed that his face was very grave.

"This is a more serious matter than I had expected, Watson," said he. "It is fair [5] to tell you so, though I know it will only be an additional reason to you for running your head into danger [6]. I should know my Watson by now [7]. But there *is* danger, and you should know it."

"Well, it is not the first we have shared [8], Holmes. I hope it may not be the last [9]. What is the particular danger this time ?"

"We are up against a very hard case. I have identified Mr John Garrideb, Counsellor at Law. He is none [10] other than 'Killer' Evans, of sinister and murderous reputation [11]."

"I fear I am none [12] the wiser."

"Ah, it is not part of your profession to carry about a portable Newgate [13] Calendar in your memory. I have been down to see friend Lestrade at the Yard. There may be an occasional want of imaginative intuition down there, but they lead the world for thoroughness and method.

---

1. **to go on a wild goose chase** : *partir pour une chasse à l'oie sauvage ;* expression idiomatique signifiant qu'on court après l'impossible, après la lune...
2. m. à m. : *demain parlera pour lui-même, nous éclairera.*
3. **Holmes was up and out** : was n'est pas répété mais sous-entendu devant **out** : *il se leva et sortit ;* noter l'expression **he was down and out** : *il était sans le sou.*
4. **lunchtime** : *l'heure du déjeuner ;* même chose avec les autres noms de repas (**teatime**...) ; **bedtime** : *l'heure de se coucher ;* **springtime** : *le printemps.*
5. **fair** : ici *juste ;* **fair enough** : *ça va, d'accord.*
6. **to run into danger** : *s'exposer au danger.*
7. m. à m. : *je devrais bien connaître mon Watson à présent.*

134

En tout cas, il voulait expédier ce bon vieux fossile à Birmingham. Voilà qui est clair. J'aurais pu le prévenir que de toute évidence il courait pour rien, mais à la réflexion, il m'a semblé préférable de dégager la scène en le laissant entreprendre ce voyage. Demain, Watson, demain nous apprendra la vérité ! »

Holmes se leva et sortit de bonne heure. Quand il revint à l'heure du déjeuner, je remarquai que son visage avait l'air très grave.

« L'affaire est beaucoup plus sérieuse que je ne pensais, Watson ! me dit-il. Il est juste que je vous mette au courant, bien que je sache que ce sera une raison supplémentaire pour vous de vouloir affronter le danger. Depuis le temps, je connais mon Watson ! Mais il y a vraiment du danger, et vous devriez en être conscient.

— Bah ! ce n'est pas le premier auquel nous faisons face ensemble, Holmes. J'espère qu'il ne sera pas le dernier. Qu'y a-t-il de spécial cette fois ?

— Nous avons affaire à forte partie. J'ai identifié Mr John Garrideb, conseiller juridique. Il n'est autre que Evans « le Tueur », meurtrier de sinistre réputation.

— Je crains de ne pas être plus avancé.

— Ah ! cela ne fait pas partie de votre métier de garder en mémoire le répertoire officiel du crime. Je suis descendu voir l'ami Lestrade à Scotland Yard. Il peut y avoir parfois chez eux un manque d'intuition imaginative, mais pour ce qui est de la rigueur et de la méthode, les inspecteurs du Yard sont des champions !

---

8. **the first we have shared :** *le premier que nous ayons partagé* (le relatif *that* est omis) ; **to share :** *partager, répartir, diviser en parts* (au sens propre et figuré).
9. **I hope it may not be the last !** *puisse-t-il ne pas être le dernier !* **may** renforce ici la notion d'espoir, de souhait ; **I hope it won't be the last** aurait moins de force.
10. **none :** ici adjectif, *aucun, nul* ; **he is none other than :** *il est nul autre que.*
11. m. à m. : *de sinistre et meurtrière réputation.*
12. **△none :** ici adverbe + comparatif = *pas plus* ; **I like it none the better, none the worse :** *je ne l'aime pas mieux, pas moins ;* **none the wiser :** *pas plus sage.*
13. **Newgate :** ancienne prison de Londres. **Newgate Calendar :** liste des accusés et des causes criminelles célèbres.

I had an idea that we might get on the track[1] of our American friend in their records[2]. Sure enough, I found his chubby face smiling up at me from the rogues'[3] portrait gallery. 'James Winter, alias Morecroft, alias Killer Evans,' was the inscription below." Holmes drew an envelope from his pocket. "I scribbled down[4] a few points from his dossier : Aged forty-four. Native of Chicago. Known to have shot[5] three men in the States. Escaped from penitentiary[6] through[7] political influence. Came to London in 1893. Shot a man over cards in a night-club in the Waterloo Road in January, 1895. Man died, but he was shown[8] to have been the aggressor in the row[9]. Dead man was identified as Rodger Prescott, famous as forger and coiner in Chicago. Killer Evans released in 1901. Has been under police supervision since, but so far as known has led an honest life. Very dangerous man, usually carries arms and is prepared to use them. That is our bird, Watson—a sporting bird[10], as you must admit."

"But what is his game ?"

"Well, it begins to define itself. I have been to the house-agent's. Our client, as he told us, has been there five years[11]. It was unlet[12] for a year before then. The previous tenant was a gentleman at large[13] named Waldron. Waldron's appearance was well remembered at the office.

---

1. **track :** *piste, voie, trace* (d'un homme ou d'un animal qui a passé) ; **to track down :** *dépister, traquer.*
2. **▲record** ['rekɔ:d] : ici *archives, registre ;* mais aussi *carrière, antécedents* (**a good record** : *de bons états de service ;* **police record** : *casier judiciaire*) ; *record* (**world record** : *record mondial*) ; *enregistrement, disque.* **To record** [ri'kɔ:d] : *enregistrer, consigner par écrit.*
3. **rogue :** *escroc, filou ;* se dit aussi **swindler, thief ;** **rogue's gallery** : *musée de portrait (trombinoscope) de criminels.*
4. **to scribble :** *griffonner ;* **to scribble down** : *noter en gribouillant* (**down** renforce l'idée de mettre par écrit).
5. **to shoot (shot, shot) :** ici *faire feu sur,* d'où *tuer.*
6. **penitentiary :** *désuet, pénitencier, prison* (sens U.S.) ; en G.B., *prison* se dit **prison, jail** (ou **gaol,** même prononciation que **jail** [dzeil] qui vient du fr. *geôle*).

J'ai eu l'idée que nous pourrions tomber sur la trade de notre ami américain dans leurs archives. Et bien sûr, j'ai découvert son visage poupin qui me souriait dans la galerie de portraits d'une bande de coquins. Au-dessous était écrit : « James Winter, alias Morecroft, alias Evans le Tueur. » Holmes tira de sa poche une enveloppe. « J'ai gribouillé quelques détails de son dossier : âge, 44 ans ; né à Chicago ; connu pour avoir tué trois hommes aux États-Unis ; s'est échappé du bagne grâce à des influences politiques ; est arrivé à Londres en 1893 ; a abattu un homme à une table de jeu dans un night-club de Waterloo Road en janvier 1895 ; l'homme est mort, mais les témoignages ont indiqué qu'il était l'agresseur ; la victime a été identifiée comme étant Rodger Prescott, célèbre comme faussaire et faux-monnayeur à Chicago ; Evans le Tueur libéré en 1901 ; est surveillé par la police depuis lors, mais semble apparemment mener une existence honnête ; individu très dangereux, habituellement porteur d'armes et toujours prêt à s'en servir. Tel est notre oiseau, Watson, et un sacré gibier, comme vous en conviendrez.

— Mais à quoi joue-t-il ?

— Eh bien , son jeu commence à se préciser. Je me suis rendu chez l'agent de location. Notre client, comme il nous l'a appris, loge dans cette maison depuis cinq ans. Son appartement était resté inoccupé pendant un an avant qu'il ne s'y installe. Le locataire précédent était un monsieur nommé Waldron. A l'agence, ils se souviennent bien de l'aspect physique de ce Waldron.

---

7. **through sb** : *par l'intermédiaire de qqn, grâce à qqn.*
8. **he was shown... row** : m. à m. : *on l'a montré comme ayant été l'agresseur dans la bagarre.* **To be shown,** forme passive souvent rendue par l'impersonnel fr. *on ;* de même **he was told, given, advised, ordered...** : *on lui a dit, on lui a donné, on lui a conseillé, ordonné...*
9. ▲**row** [rau] : *bagarre, rixe, chahut, tapage ;* à ne pas confondre avec **row** [rou] : *rangée, file* (et **to row** : *ramer*).
10. **sporting bird** : *un oiseau bon pour le sport,* qu'il sera sportif et amusant de chasser.
11. **for** *(depuis)* est ici sous-entendu pour alléger.
12. ▲ **to let (let, let)** : *louer, donner en location* (**house to let** : *maison à louer*) ; **unlet** : *non loué,* d'où *inoccupé.*
13. **a gentleman at large** : *un homme seul dans la vie,* sans famille ni profession connue.

He had suddenly vanished [1] and nothing more had been heard [2] of him. He was a tall, bearded man with very dark features [3]. Now Prescott, the man whom [4] Killer Evans shot, was, according to Scotland Yard, a tall, dark man with a beard. As a working hypothesis [5], I think we may take it that Prescott, the American criminal, used to live in the very room which our innocent friend now devotes to [6] his museum. So at last we get a link, you see."

"And the next link ?"

"Well, we must go now and look for that [7]."

He took a revolver from the drawer and handed it to me.

"I have my old favourite with me. If our Wild [8] West friend tries to live up to [9] his nickname [10], we must be ready for him. I'll give you an hour for a siesta, Watson, and then I think it will be time for our Ryder Street adventure."

It was just four o'clock when we reached the curious apartment of Nathan Garrideb. Mrs Saunders, the care-taker, was about to [11] leave, but she had no hesitation in [12] admitting us, for the door shut with a spring lock, and Holmes promised to see that all was safe before we left. Shortly afterwards the outer door closed, her bonnet passed the bow window, and we knew that we were alone in the lower floor of the house.

---

1. **to vanish :** *disparaître* (également **to disappear**), *s'évanouir ;* mais *s'évanouir* physiquement = **to faint**.

2. la forme passive est ici rendue par la forme impersonnelle en fr. « on ». Les deux plus-que-parfait (**had vanished** et **had been heard**) indiquent que le narrateur renvoie à des actions antérieures à un point précis du passé (ici l'occupation de l'appartement par N. Garrideb) et sont traduits par des passés composés en fr. Ceci est fréquent dans les récits.

3. **features :** *les traits du visage, les caractéristiques.*

4. **whom :** pronom relatif compl. ayant pour antécédent une personne ; fréquemment omis pour alléger.

5. **hypothesis** [hai'pɔθisis] : *hypothèse, supposition.*

6. **to devote to :** *vouer à, consacrer à ;* **a devoted friend :** *un ami dévoué.*

Il a disparu brusquement et on n'a plus du tout entendu parler de lui. C'était un homme grand, portant la barbe, très brun de peau. Or, Prescott, l'homme qu'Evans le Tueur a abattu, était selon Scotland Yard grand, brun et barbu. Comme hypothèse de départ, je pense que nous pouvons considérer que Prescott, le bandit américain, vivait autrefois dans l'appartement même que notre innocent ami a consacré à son musée personnel. Ainsi, nous avons enfin un lien entre les deux, vous voyez.

— Et quel est le maillon suivant ?

— Eh bien, il nous faut maintenant nous en occuper. »

Il prit un revolver dans le tiroir et me le tendit.

« J'ai mon vieux revolver favori sur moi. Si notre ami du Far West essaie de faire honneur à sa réputation, nous devons nous tenir prêts. Je vais vous accorder une heure pour votre sieste, Watson, et ensuite il sera temps de nous mettre en route pour notre aventure de Ryder Street. »

Il était juste quatre heures quand nous arrivâmes à la curieuse maison de Nathan Garrideb. Mme Saunders, la femme de ménage, était sur le point de partir, mais elle ne montra aucune hésitation à nous laisser entrer, car la porte se refermait avec une serrure à ressort, et Holmes promit de veiller à ce que tout fût en ordre avant de partir. Peu de temps après, la porte extérieure se referma, son bonnet passa devant la baie vitrée et nous sûmes que nous étions seuls au rez-de-chaussée de la maison.

---

7. **△we must... that :** m. à m. : *nous devons maintenant aller le chercher ;* au présent, futur et impératif, le verbe qui suit **to go** et **to come** (parfois **to try**) est souvent introduit par **and : go and tell him :** *va lui dire ;* **they'll come and see us :** *ils viendront nous voir.* Mais pas au prétérit : **they came to see us :** *ils sont venus nous voir.*

8. **wild :** *sauvage* (homme, animal, plante).

9. **to live up to :** *vivre à la hauteur d'un idéal* (moral, social…), *mener une vie en rapport avec.*

10. **nickmane :** *surnom, sobriquet,* (d'où *sa réputation*).

11. **to be about to :** *être sur le point de* (plus proche que **to be going to** qui traduit une intention).

12. **to have no hesitation in** + gérondif : *ne pas hésiter à.*

Holmes made a rapid examination of the premises[1]. There was one cupboard in a dark corner which stood out[2] a little from the wall. It was behind this that we eventually[3] crouched[4] while Holmes in a whisper outlined his intentions.

"He wanted to get our amiable[5] friend out of[6] his room — that is very clear, and, as the collector never went out, it took some planning to do it[7]. The whole of this Garrideb invention was apparently for no other end. I must say, Watson, that there is a certain devilish ingenuity about it, even if the queer name of the tenant did give him an opening[8] which he could hardly have expected. He wove[9] his plot with remarkable cunning[10]"

"But what did he want ?"

"Well, that is what we are here to find out[11]. It has nothing whatever[12] to do with our client, so far as I can read[13] the situation. It is something connected with the man he murdered — the man who may have been his confederate[14] in crime. There is some guilty secret in the room. That is how I read it. At first I thought our friend might have something in his collection more valuable than he knew — something worth the attention of a big criminal. But the fact that Rodger Prescott of evil[15] memory inhabited these rooms points to some deeper reason. Well, Watson, we can but[16] possess our souls in patience[17] and see what the hour may bring."

---

1. **premises** ['premisez] : *lieux, locaux, immeubles et ses dépendances ;* **business premises** : *locaux commerciaux.*
2. **to stand (stood, stood) out** : *se détacher, faire saillie, être en relief, ressortir* par rapport à un fond.
3. ▲ **eventually** : *finalement, en fin de compte.*
4. **to crouch** : *se ramasser sur soi-même, s'accroupir.*
5. ▲ **amiable** ['eimjəbl], terme recherché, *aimable* au sens d'*estimable ;* en angl. courant, *aimable* = **nice, pleasant.**
6. **to get sb out of** : *faire sortir qqn de, sortir qqn d'une difficulté.*
7. m. à m. : *cela prit pas mal d'organisation pour le faire ;* **planning** est un nom verbal = *le fait de planifier, d'organiser,* d'où la traduction « *trouver une bonne idée* ».
8. **opening** : *ouverture, débouché, chance de réussite.*
9. **to weave (wove, woven)** : *tisser, tramer ;* **to weave a plot** : *imaginer une intrigue.*

140

Holmes fit un examen rapide des lieux. Il y avait dans un coin sombre une armoire qui n'était pas complètement collée au mur. Ce fut derrière ce meuble que finalement nous nous cachâmes pendant que Holmes m'exposa en chuchotant les grandes lignes de son plan.

« Il voulait que notre estimable ami quitte cette pièce — ceci est très clair — et comme le collectionneur ne sortait jamais, il a fallu qu'il trouve une bonne idée pour y parvenir. Toute cette histoire inventée des Garrideb n'avait pas d'autre but. Je dois dire, Watson, qu'il y a une certaine ingéniosité diabolique dans ce complot, même si le nom bizarre du locataire lui a fourni un prétexte qu'il aurait pu difficilement prévoir. Il a tissé sa toile avec une habileté remarquable.

— Mais quel était son but ?

— Ah ! voilà ce que nous sommes venus découvrir. Cela n'a absolument rien à voir avec notre client, dans la mesure où mon interprétation de la situation est correcte. C'est quelque chose qui se rapporte à l'individu qu'il a tué — l'homme qui a pu être son complice dans le crime. Il y a un coupable secret dans cette pièce. Voilà comment je vois l'affaire. Au début, j'ai cru que notre ami pouvait avoir dans sa collection quelque chose d'une valeur qu'il ignorait — quelque chose digne d'intéresser un grand criminel. Mais le fait que Rodger Prescott, de sinistre mémoire, ait habité cet appartement me pousse à envisager un motif plus grave. Eh bien, Watson, nous ne pouvons que nous armer de patience et voir ce que l'avenir va nous apporter. »

---

10. **cunning** : *ruse, finesse, astuce ;* **cunning** adj. : *malin, roublard* (as **cunning as a fox** : *rusé comme un renard*).

11. **to find out** : *découvrir* (le vrai caractère de), *démasquer, résoudre* (un problème), *se renseigner… ;* **to discover** : *faire la découverte, être le 1er à trouver, révéler.*

12. **whatever** : *quelque… que ce soit, quelconque ;* **nothing whatever** : *pas la moindre chose, absolument rien.*

13. **to read** a parfois le sens de *comprendre, interpréter.*

14. **confederate** : *acolyte, complice* (également **accomplice**).

15. **evil** ['i:vil] (adj.), *mauvais, méchant ;* (subst.), *le mal.*

16. **but** placé avant un verbe = *seulement, ne… que.*

17. **to possess one's soul in patience, in peace** : *s'armer de patience, garder son âme en paix.*

That hour was not long in striking[1]. We crouched closer[2] in the shadow as we heard the outer door open and shut. Then came the sharp, metallic snap[3] of a key, and the American was in the room. He closed the door softly behind him, took a sharp glance around him[4] to see that all was safe, threw off[5] his overcoat, and walked up to the central table with the brisk[6] manner of one who knows exactly what he has to do and how to do it. He pushed the table to one side, tore up[7] the square of carpet on which it rested[8], rolled it completely back, and then, drawing a jemmy[9] from his inside pocket, he knelt down[10] and worked vigorously upon the floor. Presently we heard the sound of sliding boards[11], and an instant later a square had opened in the planks[11]. Killer Evans struck a match, lit a stump[12] of candle, and vanished from our view.

Clearly our moment had come. Holmes touched my wrist as a signal, and together we stole across[13] to the open trap-door. Gently as we moved, however, the old floor must have creaked under our feet, for the head of our American, peering anxiously round, emerged suddenly from the open space. His face turned upon us with a glare of baffled rage[14], which gradually softened into a rather shamefaced grin[15] as he realized that two pistols were pointed at his head.

---

1. m. à m. : *cette heure ne fut pas longue à sonner ;* to **strike (struck, struck)** : *frapper, sonner* (horloge), *craquer* (une allumette).

2. **closer :** *plus serré, plus étroitement ;* to **keep,** to **lie close :** *rester caché.*

3. **snap :** *coup sec, claquement ;* with a snap of the fingers : *en faisant claquer ses doigts ;* to **answer with a snap :** *répondre d'un ton cassant, mordant.*

4. m. à m. : *il jeta un coup d'œil pénétrant autour de lui.*

5. **to throw (threw, thrown) :** *jeter ;* to throw off : *enlever, se débarrasser hâtivement de qqch ou de qqn.*

6. **brisk :** *vif, alerte, rapide, actif* (pour un commerce).

7. **to tear (tore, torn) :** *déchirer, arracher ;* to **tear** up a ici le sens d'*arracher en tirant vers le haut ;* mais to **tear up a letter :** *déchirer une lettre en morceaux.*

Notre attente ne fut pas longue. Nous nous cachâmes encore plus dans l'ombre en entendant la porte extérieure s'ouvrir et se refermer. Puis ce fut le bruit sec et métallique d'une clé, et l'Américain entra dans la pièce. Il referma doucement la porte derrière lui, inspecta les lieux d'un regard pénétrant pour voir si tout était normal, enleva son manteau, et s'avança vers la table du milieu avec l'allure décidée de quelqu'un qui sait exactement ce qu'il doit faire et comment le faire. Il poussa la table sur le côté, releva le carré de tapis sur lequel elle était posée, le roula entièrement, et ensuite, tirant une pince-monseigneur de sa poche intérieure, s'agenouilla et se mit vigoureusement à l'ouvrage sur le plancher. Nous entendîmes bientôt le bruit de planches qui glissaient, et une seconde plus tard, un trou carré apparut. Evans le Tueur frotta une allumette, alluma un bout de bougie, et il disparut de notre vue.

Il était clair que notre heure était arrivée. Holmes me toucha le poignet comme signal, et ensemble nous traversâmes la pièce sur la pointe des pieds jusqu'à la trappe. Aussi doucement que nous ayons marché, le vieux plancher avait quand même dû craquer sous nos pieds, car la tête de l'Américain, jetant des coups d'œil anxieux autour de lui, émergea soudain du trou. Il tourna vers nous un visage où se lisait la fureur de la déception ; elle s'apaisa progressivement pour se transformer en une grimace embarrassée quand il s'aperçut que deux pistolets étaient braqués sur sa tête.

---

8. ▲ **to rest** : *se reposer, prendre du repos ;* **to rest on** : *s'appuyer sur, être posé sur, couché sur.*
9. **jemmy** : *broche-levier, pince-monseigneur.*
10. **to kneel (knelt, knelt)** : *s'agenouiller ;* **down** renforce le verbe, comme **to fall down** : *tomber* (par terre).
11. **plank** : *planche épaisse, madrier ;* **board** : *planche mince, panneau, tableau.*
12. **stump** : *souche* (d'arbre), *bout* (de crayon), *mégot.*
13. **to steal (stole, stolen)** : 1) *voler, dérober ;* 2) *se glisser, se mouvoir silencieusement* ou *secrètement* (suivi de **in, out, across,** *entrer, sortir, traverser subrepticement*).
14. m. à m. : *son visage se tourna vers nous avec un éclat de rage déçu :* **to baffle** : *déjouer, déconcerter.*
15. **grin** : 1) *large sourire épanoui ;* 2) *rictus grimaçant.*

"Well, well[1] !" said he coolly[2] as he scrambled[3] to the surface. "I guess you have been one too many for me, Mr Holmes. Saw through my game, I suppose, and played me for a sucker[4] from the first. Well, sir, I hand it to you ; you have me beat[5] and…"

In an instant he had whisked out[6] a revolver from his breast[7] and had fired two shots. I felt a sudden hot sear[8] as if a red-hot iron had been pressed to my thigh[9].There was a crash as Holmes's pistol came down on the man's head. I had a vision of him sprawling upon the floor with blood running down his face while Holmes rummaged[10] him for weapons. Then my friend's wiry[11] arms were round me, and he was leading me to a chair.

"You're not hurt[12], Watson ? For God's sake, say you are not hurt !"

It was worth a wound — it was worth many wounds — to know the depth of loyalty and love which lay behind that cold mask. The clear, hard eyes were dimmed[13] for a moment, and the firm lips were shaking. For the one and only time I caught a glimpse of a great heart as well as of a great brain. All my years of humble but single-minded[14] service culminated in that moment of revelation.

"It's nothing, Holmes. It's a mere scratch."

---

1. **well :** interjection exprimant de nombreuses nuances : *eh bien ! tant pis ! ça alors ! soit ! ma parole ! allons ! voyons ! ma foi ! hein ! et alors ? donc, c'est bon !* etc.

2. **coolly :** (adverbe), *avec calme, avec froideur, avec sang-froid ;* to cool : *rafraîchir, se refroidir, se calmer.*

3. **to scramble :** 1) *avancer en se traînant* ou *en s'accrochant aux saillies* (suivi de **up** : *se hisser en s'aidant des pieds et des mains*) ; 2) *cuire brouillé* (œufs…)

4. **sucker :** (U.S.), *niais, naïf, personne facile à tromper ;* m. à m. : *vous avez joué en me prenant pour un idiot.*

5. **you have me beat :** angl. incorrect et populaire pour **you have beaten me.** Jusqu'à présent Evans, soi-disant avocat américain, s'exprimait correctement avec d'éventuels américanismes ; démasqué, il reprend son langage de truand.

« Eh bien, vous m'en direz tant ! dit-il sans se démonter tout en se hissant hors du trou. Je crois que vous êtes trop fort pour moi, monsieur Holmes. Vous avez percé mon jeu, je suppose, et vous m'avez roulé depuis le début. Oui, je vous l'accorde, monsieur, vous m'avez battu, et... »

En un éclair, il avait sorti un revolver de sa poche intérieure et avait tiré deux coups de feu. Je sentis une brûlure fulgurante comme si un fer chauffé au rouge avait été appliqué sur ma cuisse. Puis le revolver de Holmes s'abattit sur la tête de l'homme en faisant un grand bruit. J'eus la vision d'Evans le Tueur s'étalant de tout son long sur le sol, avec du sang qui coulait de son visage, tandis que Holmes le fouillait pour trouver des armes. Ensuite, les bras nerveux de mon ami m'entourèrent et il me conduisit sur une chaise.

« Vous n'êtes pas blessé, Watson, pour l'amour de Dieu, dites-moi que vous n'êtes pas blessé ! »

Cela valait bien une blessure — et même beaucoup de blessures — de mesurer la profondeur de loyauté et d'amour qui se cachaient derrière ce masque impassible. Je vis ses yeux clairs et durs s'embuer un moment et ses lèvres fermes frémir. Pour la première et unique fois de ma vie, j'eus la vision subite du grand cœur qui habitait cet homme au cerveau si génial. Toutes mes années de service humble, mais fidèle, se trouvèrent récompensées par ce moment de révélation.

« Ce n'est rien, Holmes. Rien qu'une égratignure. »

---

6. **to whisk :** *agiter d'un mouvement vif, faire un mouvement brusque ;* **to whisk out :** *sortir brusquement.*

7. **breast** mis pour **breast pocket :** *poche de poitrine.*

8. **sear** [siə] : *brûlure ou cicatrice résultant d'une marque au fer rouge ou d'une cautérisation.*

9. **thigh** [θai] : *la cuisse ;* **hip :** *la hanche.*

10. **to rummage :** *fouiller, farfouiller* (en déplaçant tout) ; **to rummage for sth :** *fouiller pour trouver qqch.*

11. **wire :** *fil métallique, câble* (par ext. télégramme) ; **wiry :** *en fil de fer,* et pour une personne, *raide, sec.*

12. **to hurt (hurt, hurt) :** *blesser, peiner, faire du mal.*

13. **to dim :** *(s')obscurcir, ternir l'éclat, devenir vague.*

14. **single-minded :** *sincère, honnête, obstiné, immuable dans ses convictions* (même sens que **single-hearted**).

He had ripped[1] up my trousers with his pocket-knife.

"You are right," he cried with an immense sigh of relief. "It is quite superficial." His face set like flint[2] as he glared at our prisoner, who was sitting up with a dazed[3] face. "By the Lord, it is as well for you. If you had killed Watson, you would not have got out[4] of this room alive. Now, sir, what have you to say for yourself[5]?"

He had nothing to say for himself. He only sat and scowled[6]. I leaned on Holmes's arm, and together we looked down into the small cellar which had been disclosed by the secret flap[7]. It was still illuminated by the candle which Evans had taken down with him. Our eyes fell upon a mass of rusted machinery[8], great rolls of paper, a litter[9] of bottles, and, neatly arranged upon a small table, a number of neat little bundles[10].

"A printing press — a counterfeiter's[11] outfit," said Holmes.

"Yes, sir," said our prisoner, staggering[12] slowly to his feet and then sinking[13] into the chair. "The greatest counterfeiter London ever saw. That's Prescott's machine, and those bundles on the table are two thousand[14] of Prescott's notes worth a hundred each and fit to[15] pass anywhere. Help yourselves, gentlemen.

---

1. **to rip** : *déchirer, arracher, ouvrir en coupant ou en déchirant ;* to rip up : *déchirer en tirant vers le haut ;* Jack the Ripper : *Jack l'Éventreur.*

2. **flint** : *silex ;* a heart of flint : *un cœur de pierre.*

3. **dazed** : *stupéfié, ahuri* (également, **stunned, amazed**).

4. **you would not have got out** : conditionnel passé entraîné par le plus-que-parfait (**had killed**) dans la proposition introduite par **if** ; même concordance des temps en fr..

5. ▲**to say for yourself** : *dire pour sa défense, parler en sa propre faveur ;* mais **speak for yourself** : *parle pour toi* (pas au nom des autres).

6. **to scowl** [skaul] : *froncer les sourcils, se renfrogner, prendre un air menaçant ;* mais **to scold** : *réprimander.*

7. m. à m. : *qui avait été révélée par la trappe secrète.*

8. **machinery** : *mécanisme, appareil, ensemble de machines.*

146

Il avait déchiré mon pantalon avec son canif.

« Vous avez raison, s'écria-t-il en poussant un immense soupir de soulagement. C'est très superficiel. » Son visage prit la dureté du silex quand il tourna un regard glacial vers notre prisonnier qui s'était redressé, le visage ahuri. « Par Dieu ! Cela vaut mieux pour vous. Si vous aviez tué Watson, vous ne seriez pas sorti de cette pièce vivant. Maintenant, monsieur, qu'avez-vous à dire pour votre défense ? »

Il n'avait pas grand-chose à dire ! Il se contentait de rester assis en nous regardant d'un air menaçant. Je m'appuyai sur le bras de Holmes, et ensemble nous regardâmes à l'intérieur de la petite cave qui se cachait sous la trappe secrète. Elle était encore éclairée par la bougie qu'Evans avait descendue avec lui. Notre regard tomba sur une grosse machine rouillée, de grands rouleaux de papier, un fouillis de bouteilles, et soigneusement alignés sur une petite table, de nombreux petits paquets bien emballés.

« Une presse à imprimer ! tout l'attirail du faux-monnayeur... s'écria Holmes.

— Oui, monsieur ! répondit notre prisonnier qui essaya de se remettre lentement debout et qui s'effondra sur sa chaise. Le plus grand faux-monnayeur que Londres ait jamais connu ! C'est la machine de Prescott, et ces petits paquets sur la table contiennent deux mille billets d'une valeur de cent livres chacun qu'il a fabriqués et qui pourraient passer n'importe où. Servez-vous messieurs.

---

9. **litter** : *fouillis, désordre, détritus, (litière).*
10. **bundle** : *paquet, ballot, fagot, liasse de papiers.*
11. **to counterfeit** ['kauntəfi:t] : *contrefaire* des billets ou une écriture, *simuler* (des sentiments) ; **counterfeiter** : *faux-monnayeur, simulateur, auteur de faux documents.*
12. **to stagger** : *chanceler, tituber, (ébranler moralement).*
13. **to sink (sank, sunk)** : *couler, sombrer* ; to sink into a chair : *s'effondrer, s'écrouler sur une chaise.*
14. **△thousand** *(1000)*, **hundred** *(100)*, **million** et **dozen** sont des adj. cardinaux invariables quand ils sont utilisés avec des nombres définis ; mais ils se mettent au pl. quand ils sont utilisés comme noms : **hundreds of people, thousands of birds, dozens of eggs,** mais **two million pounds.**
15. **fit to** : *capable de, apte à, qualifié pour.*

Call it a deal and let me beat [1] it."

Holmes laughed.

"We don't do things like that, Mr Evans. There is no bolt-hole [2] for you in this country. You shot this man Prescott, did you not [3] ?"

"Yes, sir, and got [4] five years for it, though it was he [5] who pulled on me. Five years — when I should have had a medal the size of a soup plate. No living man could tell [6] a Prescott from a Bank of England, and if I hadn't put him out he would have flooded [7] London with them. I was the only one in the world who knew where he made them. Can you wonder that [8] I wanted to get to the place ? And can you wonder that when I found this crazy boob [9] of a bug-hunter [10] with the queer name squatting [11] right [12] on the top of it, and never quitting his room, I had to do the best I could to shift [13] him ? Maybe I would have been wiser if I had put him away [14]. It would have been easy enough, but I am a soft-hearted guy [15] that can't begin shooting unless the other man has a gun also. But say, Mr Holmes, what have I done wrong, anyhow ? I've not used this plant. I've not hurt this old stiff [16]. Where do you get me ?"

"Only attempted murder, so far as I can see," said Holmes. "But that's not our job.

---

1. **to beat (beat, beaten) :** *battre, frapper ;* to beat it : (U.S. et familier), *déguerpir, décamper, se barrer.*

2. **bolt :** *verrou ;* bolt-hole : *cachette, échappatoire.*

3. **did you not :** forme recherchée pour **didn't you.**

4. **to get (got, got) :** un des nombreux sens de to get : *recevoir, attraper, en prendre ;* to get a cold : *attraper un rhume ;* to get the sack : *recevoir son congé ;* he got two years : *il a été condamné à deux ans* (de prison).

5. **△he** est ici pronom personnel sujet antécédent du relatif who ; on dit it's him, mais it's he who did it.

6. **to tell** a ici le sens de *discerner, reconnaître* (to tell right from wrong : *discerner le bien du mal*).

7. **to flood** [flʌd] : à rapprocher de **blood** [blʌd], *inonder, submerger, être en crue ;* the Flood : *le Déluge.*

8. **to wonder that :** *s'étonner que, être surpris que ;* to wonder why (if) : *se demander pourquoi (si).*

9. **boob :** (argot), *crétin, idiot, nigaud.*

Allez, concluons le marché et laissez-moi filer. »

Holmes se mit à rire.

« Nous ne faisons pas de choses pareilles, monsieur Evans. Il n'y a pas de porte de sortie pour vous dans ce pays. Vous avez bien tué ce Prescott, n'est-ce-pas ?

— Oui, monsieur, et j'en ai pris pour cinq ans à cause de ça, bien que ce soit lui qui m'ait tiré dessus. Oui, cinq ans ! alors que j'aurais dû recevoir une médaille de la taille d'une assiette à soupe. Personne au monde ne pourrait faire la différence entre un Prescott et un billet de la Banque d'Angleterre. Si je ne l'avais pas supprimé, il aurait inondé Londres de ses faux billets. J'étais absolument le seul homme à savoir où il les fabriquait. Comprenez-vous que je voulais parvenir jusqu'à cet endroit ? Et comprenez-vous aussi que lorsque j'ai découvert ce grand nigaud de chasseur d'insectes au nom si étrange qui occupait le terrain juste au-dessus de cette cave secrète, et qui en plus ne sortait jamais de chez lui, j'ai dû faire de mon mieux pour lui faire vider les lieux. Peut-être aurait-il été plus sage de le supprimer. Cela aurait été assez facile, mais je suis un homme au cœur sensible qui ne peut pas commencer à tirer si le type d'en face n'a pas de revolver. Mais dites-donc, monsieur Holmes, qu'ai-je fait de mal après tout ? Je n'ai pas utilisé cette machine. Je n'ai pas blessé cette vieille momie de Garrideb. Quelle charge retenez-vous contre moi ?

— Rien qu'une tentative de meurtre, autant que je sache, fit Holmes. Mais ce n'est pas notre affaire.

---

10. **bug** : *insectes* (divers) ; *bug hunter,* terme familier pour *collectionneur d'insectes.*
11. **to squat** : 1) *s'accroupir, se tapir ;* 2) (sens U.S.) *s'installer sur un terrain* ou *dans une maison sans droit.*
12. **right** : (adverbe), *exactement, juste, en plein ;* **right now, right away** : *tout de suite ;* **right here** : *ici même.*
13. **to shift** : *changer de place, de personne* ou *de poste* (**day shift, night shift** : *équipe de jour, équipe de nuit*).
14. **to put sb away** : *écarter qqn* (mettre en prison ou assassiner) ; **to put sth away** : *ranger, mettre de côté qqch.*
15. **guy** : (U.S.), *type, individu ;* (G.B.), **chap, fellow.**
16. **stiff** : (argot), *cadavre, macchabée ;* **stiff** : (adj.), *raide.*

They [1] take that at the next stage [2]. What we wanted at present was just your sweet [3] self. Please give the Yard [4] a call [5], Watson. It won't be entirely unexpected."

So those were the facts about Killer Evans and his remarkable invention of the three Garridebs. We heard later that our poor old friend never got over [6] the shock of his dissipated dreams. When his castle in the air fell down, it buried [7] him beneath the ruins. He was last heard of [8] at a nursing-home in Brixton. It was a glad day at the Yard when the Prescott outfit was discovered, for, though [9] they knew that it existed, they had never been able, after the death of the man, to find out where it was. Evans had indeed done great service and caused several worthy C.I.D. [10] men to sleep the sounder [11], for the counterfeiter stands in a class by himself as a public danger. They would willingly have subscribed to [12] that soup-plate medal of which the criminal had spoken, but an unappreciative bench [13] took a less favourable view, and the Killer returned to those shades from which he had just [14] emerged.

---

1. **they** s'oppose ici à "**our job**" : *notre affaire,* par opposition à celle de la police officielle
2. **stage** : 1) *estrade, scène* (de théâtre) ; 2) *phase, période, stade* (**the stages of his life** : *les étapes de sa vie*).
3. **sweet** : *doux, sucré* (**sweets** : *les bonbons*), a ici le sens de *charmant, aimable* (**it's very sweet of you** : *c'est très gentil à vous*) ; **your sweet self** est ironique d'où la traduction *votre précieuse personne.*
4. **the Yard** : diminutif familier pour **Scotland Yard,** rue de Londres où se trouvait le Q.G. de la Sûreté ; par extension, désigne tous les services de Sûreté et de police criminelle.
5. **to give sb a call** ou **to give a call to sb.**
6. **to get over sth** : *se remettre* d'une maladie, d'un choc.
7. **to bury** : *enterrer, ensevelir, enfouir.*
8. **△he was last heard of** : *on a entendu parler de lui pour*

On prendra ça en compte à la prochaine étape. Ce que nous voulions pour l'instant ne concerne que votre précieuse personne. Voulez-vous donner un coup de téléphone au Yard, Watson. Ce ne sera pas tout à fait une surprise pour ces messieurs. »

Tels furent les faits relatifs à Evans le Tueur et à sa remarquable invention des trois Garrideb. Nous apprîmes par la suite que notre pauvre vieil ami ne se remit jamais du choc qui brisa ses rêves. Quand son château en Espagne s'effondra, il fut enseveli sous les ruines. Aux dernières nouvelles, il était dans une maison de santé à Brixton. Ce fut un heureux jour pour le Yard quand l'attirail de Prescott fut découvert, car bien que la police connût son existence, elle n'avait jamais été capable, après la mort du faux-monnayeur, de mettre la main dessus. Evans avait vraiment rendu un grand service à la communauté, et il avait permis à plusieurs estimables officiers de police de dormir sur leurs deux oreilles, car le faux-monnayeur est un danger public unique en son genre. Ces dignes inspecteurs auraient bien volontiers souscrit à l'achat de cette médaille grande comme une assiette à soupe dont le criminel avait parlé, mais un tribunal insensible en apprécia différemment ; et Evans le Tueur replongea dans l'ombre d'où il venait d'émerger.

---

la dernière fois, d'où *aux dernières nouvelles* ; **last** est ici adverbe : **when did you last see him ?** *quand l'as-tu vu pour la dernière fois ?*

9. **though, although** : *bien que, quoique* (suivi du subjonctif en fr., mais de l'indicatif en angl.).

10. **C.I.D.** = **Criminal Investigation Department,** la Sûreté anglaise ; **worthy** : *estimable, digne, méritant.*

11. **to sleep the sounder** = **to sleep all the sounder** : *dormir d'autant plus profondément.*

12. **to subscribe to** : *souscrire à, s'abonner à* (un journal).

13. **bench** : *banc, banquette, siège* (de magistrat) ; par extension, *la magistrature, la Cour, le tribunal.*

14. **had just** + p. passé = *venait de* + inf. ; au **present perfect, he has just arrived** : *il vient d'arriver.*

HIS LAST BOW*

Son dernier coup d'archet

* *Attention !* le mot **bow** a deux sens différents selon la prononciation :
  bow [bou], *arc, archet* (par ext. *coup d'archet*), *courbe* en forme
d'arc (**rainbow**, *arc-en-ciel*), *nœud de ruban* ou *de cravate* (**bow-tie**,
nœud papillon).
  bow [bau], *salut, révérence, inclination de la tête ;* **to make one's
bow** est l'expression employée pour un acteur qui salue le public avant
de quitter la scène ; c'est le cas ici, et le titre devrait être traduit « *sa
dernière révérence* ». Mais comme Conan Doyle jouait du violon, le
jeu de mots est possible et la traduction joue sur l'ambiguïté. De plus,
le titre « *son dernier coup d'archet* » sonne mieux en français.

It was nine o'clock at night upon[1] the second[2] of August[3] — the most terrible August in the history of the world. One might have thought already that God's curse hung heavy[4] over a degenerate world, for there was an awesome hush and a feeling of vague expectancy in the sultry[5] and stagnant air. The sun had long set[6], but one blood-red gash like an open wound lay low in the distant west[7]. Above, the stars were shining brightly ; and below, the lights of the shipping[8] glimmered in the bay. The two famous Germans stood beside the stone parapet of the garden walk[9], with the long, low, heavily gabled house[10] behind them, and they looked down upon[11] the broad sweep of the beach at the foot of the great chalk cliff on which Von Bork, like some wandering eagle, had perched himself four years before. They stood with their heads close together[12], talking in low, confidential tones. From below, the two glowing ends of their cigars might have been the smouldering eyes of some malignant fiend[13] looking down in the darkness.

A remarkable man this Von Bork — a man who could hardly be matched[14] among all the devoted agents of the Kaiser. It was his talents which had first recommended him for the English mission, the most important mission of all, but since he had taken it over[15], those talents had become more and more manifest to the half-dozen people in the world who were really in touch with the truth.

---

1. **upon,** ou plus fréquemment **on**, précède les dates en angl. (**he arrived on Saturday** : *il arriva samedi*).

2. **second** : en angl. les dates sont toujours exprimées par des nombres ordinaux, contrairement au fr. : *le trois, le quatre octobre,* **the third, the fourth of October.**

3. **August** : majuscule en angl. pour les jours et les mois.

4. **heavy** : adj. employé ici comme adverbe = *lourdement*.

5. **sultry** : *étouffant, lourd, orageux* (pour le temps).

6. **the sun had long set** = **the sun had set long ago** ; **to set (set, set)** : *se coucher* (pour le soleil, la lune...) ; **to rise (rose, risen)** : *se lever ;* **sunset** : *le crépuscule.*

7. m. à m. : *une balafre rouge sang comme une blessure ouverte s'étendait* (de **to lie**) *bas dans le lointain ouest.*

Il était neuf heures du soir le 2 août — le plus terrible des mois d'août de l'histoire mondiale. On aurait pu croire que déjà la malédiction de Dieu pesait lourdement sur un monde dégénéré, car un silence impressionnant et un sentiment d'expectative vague régnaient dans l'air immobile et lourd. Le soleil était couché depuis longtemps, mais loin vers l'ouest on distinguait une balafre couleur de sang qui s'étirait comme une blessure ouverte à l'horizon. Au-dessus les étoiles brillaient d'un éclat lumineux ; et au-dessous les feux des bateaux miroitaient dans la baie. Les deux célèbres Allemands se tenaient à côté du parapet de pierre qui bordait l'allée du jardin, ayant derrière eux la longue maison basse à lourds pignons ; et d'en haut ils regardaient la large courbe de la plage au pied de la grande falaise de craie sur laquelle von Bork s'était perché, tel un aigle errant, quatre ans auparavant. Leurs têtes étaient proches l'une de l'autre et ils échangeaient à voix basse des propos d'un ton confidentiel. Vus d'en bas, les deux bouts incandescents de leurs cigares auraient pu être les yeux brûlants de quelque démon malveillant scrutant l'obscurité.

Un homme remarquable, ce von Bork ! un homme qui pouvait difficilement trouver son pareil parmi tous les dévoués agents du Kaiser. C'étaient ses talents qui l'avaient tout d'abord recommandé pour cette mission en Angleterre, la plus importante de toutes ; mais depuis qu'il s'était mis à l'œuvre, ses talents s'étaient affirmés de plus en plus dans l'esprit de la demi-douzaine de personnes qui dans le monde étaient vraiment au courant de la vérité.

---

8. **shipping :** *l'ensemble des navires, la marine marchande.*
9. **walk :** 1) *allée* (et tout endroit prévu pour les piétons) ;
2) *promenade à pied ;* 3) *la marche, le pas, la démarche.*
10. **long, low, heavily gabled house :** noter que tous les adj. sont placés avant le nom, les plus courts d'abord ;
gable : *pignon ;* **gabled house ;** *maison à pignons.*
11. m. à m. : *ils regardaient en bas sur...*
12. m. à m. : *ils se tenaient avec leurs têtes rapprochées*
13. **fiend** [fi:nd] : *démon, personne diabolique, monstre.*
14. **to match :** ici, *être l'égal de, rivaliser avec ;* également, *s'assortir, aller bien ensemble* (des couleurs...).
15. **to take over :** *assumer une responsabilité, prendre la charge, le contrôle, à la suite de qqn.*

One of these was his present companion, Baron Von Herling, the chief secretary of the legation, whose[1] huge 100-horse-power Benz car was blocking the country lane[2] as it waited to waft[3] its owner back to London.

"So far as I can judge the trend of events, you will probably be back[4] in Berlin within the week," the secretary was saying. "When you get there, my dear Von Bork, I think you will be surprised at[5] the welcome you will receive. I happen to[6] know what is thought in the highest quarters of your work in this country." He was a huge man, the secretary, deep, broad, and tall, with a slow, heavy fashion[7] of speech which had been his main asset[8] in his political career[9].

Von Bork laughed.

"They are not very hard to deceive[10]," he remarked. "A more docile, simple folk[11] could not be imagined."

"I don't know about that," said the other thoughtfully[12]. "They have strange limits and one must learn to observe them. It is that surface simplicity of theirs[13] which makes a trap for the stranger. One's first impression is that they are entirely soft. Then one comes suddenly upon something very hard, and you know that you have reached the limit, and must adapt yourself to the fact. They have, for example, their insular conventions which simply must be observed."

---

1. **whose** : pronom relatif exprimant un rapport de possession (comme ici) ou de parenté ; il est suivi du nom sans article, ou éventuellement d'adjectifs et d'un nom.

2. **lane** : *chemin, ruelle, voie* (**a 4-lane highway** : *une route à 4 voies de circulation*, sens U.S.)

3. **to waft** : *porter, transporter* dans l'air ou sur l'eau.

4. **to be back** : *être de retour, être revenu* (mais *je reviens* se dit **I come back**).

5. **to be surprised at** : *être surpris de* ou *par*.

6. **to happen to** + inf. exprime la notion de hasard que l'on rend par *il se trouve que* (**if I happen to forget** : *si par hasard j'oublie*). **To happen** non suivi de l'inf. se traduit par *arriver, survenir, se produire, se passer*.

7. **fashion** : *façon, manière, coutume* et par ext. *mode* (**in**

L'une d'entre elles était son compagnon du moment, le baron von Herling, secrétaire principal de la légation, dont l'énorme Benz de 100 chevaux bloquait le chemin de campagne en attendant de ramener à Londres son propriétaire.

« Pour autant que je puisse juger le cours des événements, vous serez probablement de retour à Berlin avant une semaine, disait le secrétaire. Quand vous serez là-bas, mon cher von Bork, je pense que vous serez surpris de l'accueil que vous recevrez. Il se trouve que je sais ce que l'on pense dans les cercles les plus élevés du travail que vous avez accompli dans ce pays. » C'était un colosse, le secrétaire : épais, large et grand et il s'exprimait avec une lenteur pesante, ce qui avait constitué son principal atout dans sa carrière politique.

Von Bork se mit à rire.

« Ils ne sont pas très difficiles à tromper, remarqua-t-il. On ne pourrait imaginer un peuple plus docile et plus naïf !

— Je ne sais pas, répondit l'autre en réfléchissant. Ils ont des limites bizarres et on doit apprendre à les connaître. C'est cette naïveté de surface qui est un piège pour l'étranger. La première impression est qu'ils sont complètement mous. Et puis on tombe soudain sur quelque chose de très coriace, et on sait alors que l'on a atteint la limite et qu'il faut s'adapter au fait. Ils ont par exemple leurs conventions insulaires qui doivent absolument être respectées.

---

fashion, out of fashion : *à la mode, démodé*).

8. **asset** : *chose dont on peut tirer avantage, atout, valeur* ; au pl. **assets** : *l'actif, les avoirs d'une société* (*le passif, les dettes d'une société*, se dit **liabilities**).

9. **career** [kə'riə] : *carrière, profession.*

10. ▲ **to deceive** [disi:v] : *tromper qqn* (ou *tromper un espoir*), *induire en erreur* ; mais **to disappoint** : *décevoir.*

11. **folk** : sing. à sens collectif (usage devenu rare), *le peuple, la race* ; **folks** : *les gens* (**hello folks !** *bonjour tout le monde !*) ; **folk music** : *musique du peuple* au sens de tradition populaire (**folk-lore** : *folklore*).

12. **thoughtful** : 1) *pensif, méditatif* ; 2) *plein d'égards* ; **thoughtfully** (adv.) : *pensivement, d'un air soucieux.*

13. **of theirs** : *qui est la leur* ; construction idiomatique à rapprocher de **a friend of theirs** : *un de leurs amis.*

"Meaning 'good form' and that sort of thing ?" Von Bork sighed, as one who had suffered much.

"Meaning British prejudice [1] in all its queer [2] manifestations. As an example I may quote one of my own worst blunders — I can afford [3] to talk of my blunders [4], for you know my work well enough to be aware of my successes. It was on my first arrival. I was invited to a week-end gathering [5] at the country house of a cabinet minister. The conversation was amazingly [6] indiscreet."

Von Bork nodded. "I've been there," said he dryly.

"Exactly. Well, I naturally sent a résumé [7] of the information to Berlin. Unfortunately our good Chancellor is a little heavy-handed [8] in these matters, and he transmitted a remark which showed that he was aware of [9] what had been said. This, of course, took the trail straight up to me. You've no idea the harm [10] it did me. There was nothing soft about our British hosts [11] on that occasion, I can assure you. I was two years living it down [12]. Now you, with this sporting pose of yours."

"No, no, don't call it a pose. A pose is an artificial thing. This is quite natural. I am a born sportsman. I enjoy it."

"Well, that makes it the more effective [13].

---

1. △**prejudice** 1) *préjugé, prévention* (souvent traduit par un pl. en fr.) ; 2) *préjudice, détriment.*
2. **queer :** *étrange, bizarre ; d'honnêteté douteuse ;* I feel queer : *je ne me sens pas dans mon assiette, je suis patraque ;* a queer : (langage populaire), *un homosexuel.*
3. **to afford :** *être en mesure de, avoir les moyens ;* I can't afford it : *je ne peux me l'offrir, me le permettre.*
4. **blunder :** *bévue, gaffe, maladresse, faux pas.*
5. **gathering :** *rassemblement, réunion ;* to gather : *rassembler,* mais aussi *récolter, ramasser* (fleurs, fruits...).
6. **amazingly :** (adv.), *de façon surprenante, stupéfiante.* Les adv. en angl. se forment en rajoutant -ly (ou -ily) à la fin de l'adj. ; **dry, dryly** *(sèchement, avec ironie).*
7. **résumé** (ou **summary**) : *résumé ; résumer :* to summarize, to sum up.
8. **heavy-handed :** *à la main lourde ;* adj. composé dont

— Vous voulez parler du "bon ton" et des choses de ce genre ? demanda von Bork en soupirant comme quelqu'un qui en avait beaucoup souffert.

— Je veux parler des préjugés anglais dans toutes leurs curieuses manifestations. A titre d'exemple, je puis vous citer l'une de mes pires bévues ; je peux me permettre de parler de mes bévues car vous connaissez mon travail suffisamment bien pour être au courant de mes succès. C'était au moment de mon premier séjour. Je fus invité pour le week-end à une party dans la maison de campagne d'un ministre. La conversation fut d'une indiscrétion incroyable. »

Von Bork opina de la tête. « J'y étais », dit-il avec une pointe d'ironie.

« En effet. Eh bien ! tout naturellement j'envoyai à Berlin un résumé des renseignements obtenus. Malheureusement, notre brave chancelier a la main un peu lourde dans ce genre d'affaires, et il transmit une observation qui montrait qu'il était au courant de ce qui avait été dit. Bien sûr, ceci fit remonter la piste droit sur moi. Vous n'avez pas idée du mal que cette histoire m'a fait. Il n'y avait plus rien de mou chez nos hôtes anglais à ce moment-là, je peux vous l'assurer ! Il m'a fallu deux ans pour faire oublier ce scandale. Mais vous qui posez au sportif...

— Non, non, je ne suis pas un poseur. Une pose implique quelque chose d'artificiel. Or je suis tout à fait naturel. Je suis un sportif-né. Et j'aime le sport.

— Eh bien, votre efficacité s'en trouve accrue.

---

le second élément est un nom terminé par le suffixe -ed : a **blue eyed man** : *un homme aux yeux bleus ;* **cool headed** : *imperturbable ;* **narrow minded** : *à l'esprit étroit ;* **broken hearted** : *désespéré ;* **scatter-brained** : *étourdi*, etc.
9. **to be aware of :** *être au courant de, être conscient de* (le contraire est **to be unaware of** : *être ignorant de*).
10. **harm :** *mal, tort* (it will do more harm than good : *cela fera plus de mal que de bien*) ; **harmful** : *malfaisant, nuisible, nocif ;* **harmless** : *inoffensif, anodin, sans malice*.
11. **▲host :** *l'hôte* (qui reçoit) ; **guest :** *l'hôte* (invité).
12. **to live down :** *faire oublier à la longue* (un scandale, un chagrin...), *laisser au temps le soin d'effacer*.
13. **the more** (ou **all the more**) **effective :** *d'autant plus efficace, encore plus efficace*.

You yacht[1] against them, you hunt with them, you play polo, you match them in every game, your four-in-hand takes the prize at Olympia. I have even heard that you go to the length of[2] boxing with the young officers. What is the result ? Nobody takes you seriously. You are a 'good old sport[3],' 'quite[4] a decent fellow for a German,' hard-drinking, night-club, knock-about-town[5], devil-may-care[6] young fellow. And all the time this quiet country house of yours is the centre of half the mischief[7] in England, and the sporting squire[8] the most astute secret-service man in Europe. Genius, my dear Von Bork — genius!"

"You flatter me, Baron. But certainly I may claim that my four years in this country have not been unproductive. I've never shown you my little store. Would you mind[9] stepping in for a moment.

The door of the study[10] opened straight on to the terrace. Von Bork pushed it back, and, leading the way, he clicked the switch of the electric light. He then closed the door behind the bulky[11] form which followed him, and carefully adjusted the heavy curtain over the latticed window. Only when all these precautions had been taken and tested did he turn his sun-burned aquiline face to his guest.

---

1. **yacht** [jɔt] : *navire de plaisance ;* to yacht : *faire une croisière ;* to yacht against, *régater contre ;* to sail : *faire de la voile, naviguer ;* sail boat : *bateau à voiles.*

2. **to go to the length of** : *aller jusqu'à ;* he would go to any length : *il ne reculerait devant rien.* Length : *longueur,* est un subst. formé sur l'adj. **long**.

3. **a good old sport** : expression familière, *un chic type, un beau joueur* (pas toujours en rapport avec le sport).

4. **quite** : ici, *tout à fait, parfaitement* (signifie aussi *passablement*). Peut qualifier un adj. : **quite right** : *parfaitement bien, tout à fait exact ;* un verbe : **I quite understand** : *j'ai bien compris ;* ou un nom précédé d'un art. indéfini : **quite a miracle** : *un vrai miracle ;* ne pas confondre **quite** [kwait] avec **quiet** ['kwaiət] : *tranquille.*

5. **to knock about** : *rouler sa bosse, bourlinguer, faire des*

Vous faites de la voile contre eux, vous chassez avec eux, vous jouez au polo, vous rivalisez avec eux dans n'importe quel sport, votre attelage à quatre gagne le grand prix de l'Olympe. J'ai même entendu dire que vous alliez jusqu'à boxer avec leurs jeunes officiers. Quel est le résultat ? Personne ne vous prend au sérieux. Vous êtes un "bon gars sympa", "un type tout à fait bien pour un Allemand", qui boit sec, qui fréquente les boîtes de nuit, qui mène une vie de bâton de chaise, une tête brûlée ! Et pendant ce temps, cette paisible maison de campagne qui est la vôtre est le centre d'où part la moitié du mal qui est fait en Angleterre, et son sportif propriétaire est le plus rusé des agents secrets en Europe. C'est génial, mon cher von Bork, génial !

— Vous me flattez, baron. Mais je peux certainement affirmer que mes quatre années passées dans ce pays n'ont pas été improductives. Je ne vous ai jamais montré mon petit entrepôt. Cela vous ennuierait-il d'y entrer un moment ? »

La porte du bureau ouvrait directement sur la terrasse. Von Bork la repoussa et, ouvrant le chemin, il actionna le déclic de la lumière électrique. Il ferma ensuite la porte derrière la silhouette massive qui l'avait suivi et il ajusta soigneusement un épais rideau devant la fenêtre grillagée. Ce n'est que lorsque toutes ces précautions furent prises et vérifiées qu'il tourna vers son invité un visage aquilin bronzé par le soleil.

---

pitreries (bruyantes et mouvementées).
6. **devil-may-care** : *insouciant, qui se moque de tout et n'a peur de rien ;* rappel : **devil** : *diable, démon.*
7. **mischief** : *méchanceté, malice, espièglerie* (**out of pure mischief** : *par pure méchanceté*) ; l'adj. est **mischievous.**
8. **squire** : *grand propriétaire terrien, châtelain.*
9. △ **would you mind** + gérondif : *verriez-vous un inconvénient à ;* attention, **would you mind opening the window** : *cela vous ennuierait-il d'ouvrir la fenêtre ;* mais **would you mind my opening the window** : *cela vous ennuierait-il que j'ouvre la fenêtre* (= *mon action d'ouvrir*).
10. **study** 1) *étude ;* 2) *bureau, pièce où l'on travaille.*
11. **bulky** : *volumineux, corpulent, qui fait masse.*

"Some of my papers have gone," said he ; "when my wife and the household left [1] yesterday for Flushing [2] they took the less important with them. I must, of course, claim [3] the protection of the Embassy for the others."

"Your name has already been filed [4] as one of the personal suite [5]. There will be no difficulties for you or your baggage [6]. Of course, it is just possible that we may not have to go. England may leave France to her fate. We are sure that there is no binding [7] treaty between them."

"And Belgium ?"

"Yes, and Belgium, too [8]."

Von Bork shook his head. "I don't see how that could be. There is a definite treaty there. She [9] could never recover from such a humiliation."

"She would at least have peace for the moment."

"But her honour ?"

"Tut [10], my dear sir, we live in a utilitarian age. Honour is a mediaeval conception. Besides England is not ready. It is an inconceivable thing, but even our special war tax of fifty million, which one would think made our purpose as clear as if we had advertised it on the front page of the Times [11], has not roused [12] these people from their slumbers. Here and there one hears a question. It is my business to find an answer. Here and there also there is an irritation.

---

1. **to leave (left, left)** : *quitter, partir ;* noter l'emploi du prétérit en angl. (pour un passé composé en fr.) car il y a une référence à un moment précis du passé, ici **yesterday**, et l'action est complètement terminée.

2. **Flushing** : *Flessingue,* port des Pays-Bas à l'embouchure de l'Escaut ; on pouvait y débarquer venant d'Angleterre et en route pour l'Allemagne.

3. **to claim** : 1) *réclamer, revendiquer ;* 2) *prétendre, soutenir que ;* **claim** : *revendication, réclamation.*

4. **has already been filed** : **already** : *déjà,* entraîne toujours l'usage du **present perfect** et se place entre l'auxiliaire et le participe passé ; **to file** : *classer.*

5. **personal suite** [swi:t] : il s'agit des membres de l'ambassade d'Allemagne qui quitteraient la Grande-Bretagne en cas de conflit entre les deux pays.

« Certains de mes papiers ne sont plus là, dit-il. Quand ma femme et les domestiques sont partis hier pour Flessingue, ils ont emporté les moins importants. Je dois bien sûr réclamer la protection de l'ambassade pour les autres.

— Votre nom a déjà été enregistré comme faisant partie de la suite personnelle de l'ambassade. Il n'y aura aucune difficulté pour vous et vos bagages. Naturellement, il est encore possible que nous ne soyons pas obligés de partir. L'Angleterre peut très bien abandonner la France à son destin. Nous sommes sûrs qu'il n'existe pas de traité qui lie les deux pays.

— Et la Belgique ?

— Oui, la Belgique aussi. »

Von Bork hocha la tête. « Je ne vois pas comment l'Angleterre pourrait abandonner la Belgique. Il y a un traité formel entre elles. Elle ne pourrait jamais se relever d'une telle humiliation.

— Du moins aurait-elle la paix pour le moment.

— Mais son honneur ?

— Allons donc, mon cher, nous vivons une époque utilitaire ! L'honneur est un concept médiéval. En outre, l'Angleterre n'est pas prête. Il est inconcevable que notre impôt spécial de guerre de cinquante millions, dont on aurait pu croire qu'il rendait nos plans aussi clairs que si nous les avions publiés à la première page du Times, n'ait pas tiré ces gens de leur torpeur. Ici et là on entend une question. C'est mon affaire de trouver une réponse. Ici et là encore on note des signes d'irritation.

---

6. **baggage** : *les bagages ;* il s'agit ici d'un déménagement. *Les bagages* (uniquement les valises) se dit **luggage ;** tous deux sont des noms collectifs sing. à sens pl.

7. **to bind** : *lier, attacher, relier,* a ici le sens d'*engager* par une promesse ou par une obligation.

8. **too** : *aussi, également ;* la Belgique pourrait être traitée de la même manière et être « laissée à son destin ».

9. **she** : en angl. les noms de pays et de villes sont féminins (cf. ci-dessus, **leave France to her fate**)

10. **tut** [tʌt] : interjection, *bah, voyons, fi donc !*

11. **the Times :** le plus important des journaux nationaux indépendants de G.B. à l'époque et encore aujourd'hui.

12. **to rouse** : *faire sortir qqn de sa torpeur* (ici, **slumber** : *sommeil paisible, assoupissement*), *susciter un sentiment.*

It is my business to[1] soothe it. But I can assure you that so far as[2] the essentials go — the storage of munitions, the preparation for submarine attack, the arrangements for making high explosives — nothing is prepared. How then can England comme in[3], especially when we have stirred her up[4] such a devil's brew[5] of Irish civil war, window-breaking Furies[6], and God knows what to keep her thoughts at home[7]?"

"She must think of her future."

"Ah, that is another matter. I fancy that in the future, we have our own very definite plans about England, and that your information[8] will be very vital to us. It is today or tomorrow with Mr John Bull. If he prefers today we are perfectly ready. If it is tomorrow we shall be more ready still[9]. I should think[10] they would be wiser to fight with allies than without them, but that is their own affair. This week is their week of destiny. But you were speaking of your papers." He sat in the armchair with the light shining upon his broad bald[11] head, while he puffed[12] sedately at his cigar.

The large oak-panelled[13], book-lined room had a curtain hung in the further corner. When this was drawn it disclosed[14] a large brass-bound safe.

---

1. **it is my business to** : *c'est mon affaire* ; **it's none of your business** : *cela ne vous regarde pas* ; **mind your own business** : *mêlez-vous de ce qui vous regarde*.
2. **so far as** = **as far as** : *en ce qui concerne*.
3. **to come in** : *entrer, intervenir* ; il s'agit ici de l'entrée en guerre de la Grande-Bretagne.
4. **to stir up** : *exciter, ameuter, provoquer.* Noter le doublement de la consonne finale au prétérit ; **we have stirred her up** : *nous lui avons fomenté* (*lui,* étant la G.B.).
5. **a devil's brew** : *une infusion du diable* ; **to brew** : *brasser* (de la bière), *préparer* (du thé), *concocter, tramer.*
6. **window breaking furies** : *les mégères qui cassent les vitres* ; il s'agit des mouvements féministes qui créaient de l'agitation (et étaient encouragés par les Allemands).

C'est mon affaire de les apaiser. Mais je puis vous assurer qu'en ce qui concerne l'essentiel (les réserves de munitions, les préparatifs pour se défendre contre une attaque de sous-marins, l'organisation de la fabrication de gros explosifs), rien n'a été fait. Comment donc l'Angleterre pourrait-elle intervenir, surtout quand nous la tenons occupée avec cette diabolique guerre civile en Irlande, les femmes qui revendiquent comme des furies, et Dieu sait quoi, pour qu'elle garde ses pensées concentrées sur elle-même ?

— Elle doit penser à son avenir.

— Ah ! ça c'est une autre histoire. Je crois que pour l'avenir nous avons des vues très précises sur l'Angleterre, et que vos renseignements nous seront d'une importance vitale. Avec Mr John Bull, c'est pour aujourd'hui ou pour demain. S'il préfère aujourd'hui, nous sommes tout à fait prêts. Si c'est demain, nous serons encore mieux préparés. Je pense volontiers qu'ils seraient plus sages de combattre avec leurs alliés que sans leur aide, mais c'est leur affaire. Cette semaine est la semaine où leur sort se joue. Mais vous m'aviez parlé de vos papiers... » Il s'assit dans le fauteuil, la lumière brillant sur son large crâne chauve, tandis qu'il fumait posément son cigare par petites bouffées.

La grande pièce à panneaux de chêne, toute garnie de livres, comportait dans l'angle le plus éloigné un rideau tendu. Quand il fut tiré, un gros coffre-fort cerclé de cuivre apparut.

---

7. **at home ;** ici *dans le pays, dans la métropole* (la G.B.) ; **the Home Secretary** : *le ministre de l'Intérieur.*
8. ▲**information :** nom collectif sing. à sens pl. ; **a piece of information** : *un renseignement ;* mais *se renseigner :* to make inquiries about.
9. **more ready still** = even more ready.
10. **I should think :** conditionnel d'insistance, *je crois bien ; I shouldn't think so :* il me semble bien que non.
11. **bald** [bɔːld] :*chauve ;* **bold** [bould], *intrépide, hardi.*
12. **to puff :** *souffler, émettre des bouffées d'air, de vapeur, de fumée ;* **to puff at a cigar :** *tirer sur un cigare.*
13. **panelled :** *revêtu de panneaux, lambrissé ;* **panel :** *panneau, tableau ;* également *liste de jurés, pannel.*
14. **to disclose :** *découvrir, révéler, dévoiler.*

Von Bork detached a small key from his watch-chain, and after some[1] considerable manipulation of the lock he swung open[2] the heavy door.

"Look !" said he, standing clear, with a wave[3] of his hand.

The light shone vividly into the opened safe, and the secretary of the Embassy gazed with an absorbed interest at the rows of stuffed[4] pigeon-holes[5] with which it was furnished[6]. Each pigeon-hole had its label, and his eyes as he glanced along them read a long series[7] of such titles as "Fords," "Harbour-defences," "Aeroplanes," "Ireland," "Egypt," "Portsmouth forts," "The Channel," "Rosyth," and a score[8] of others. Each compartment was bristling[9] with papers and plans.

"Colossal !" said the secretary. Putting down his cigar he softly clapped his fat hands.

"And all in four years, Baron. Not such a bad show[10] for the hard-drinking, hard-riding[11] country squire. But the gem of my collection is coming and there is the setting all ready for it." He pointed to a space over which 'Naval signals[12]' was printed.

"But you have a good dossier there already."

"Out of date[13] and waste paper. The Admiralty in some way got the alarm and every code has been changed. It was a blow, Baron — the worst set-back[14] in my whole campaign. But thanks to my cheque-book and the good Altamont all will be well tonight."

---

1. **some** exprime ici l'imprécision (une certaine, une quelconque) sur le genre de manipulation.
2. **to swing (swang, swung)** : balancer (une balançoire : a swing), tournoyer ; to swing open : s'ouvrir tout grand.
3. **wave** : vague, onde, ondulation ; wave a ici le sens d'un geste de la main (ou du chapeau) pour faire un signe.
4. **to stuff** : bourrer, farcir (stuffed turkey : dinde farcie ; stuffed liver : foie gras) ; a ici le sens d'entassé.
5. **pigeon-hole** : 1) boulin de pigeonnier ; 2) casier, fichier ; to pigeon-hole : classer dans un casier ou classer dans sa mémoire qqch dont on ne veut plus s'occuper.
6. **with... furnished** : avec lesquelles il était garni.
7. **series** ['siəri:z] : série ; le pl. est identique.
8. **score** : entaille, encoche, marque (pour compter des

Von Bork détacha une petite clé de sa chaîne de montre et, après une longue manipulation de la serrure, la porte s'ouvrit toute grande.

« Regardez ! » dit-il en s'écartant et en faisant un geste de la main.

La lumière éclairait fortement l'intérieur du coffre et le secrétaire d'ambassade considéra avec un intérêt très vif les rangées de casiers bien remplis qu'il contenait. Chaque casier avait son étiquette, et ses yeux coururent de l'un à l'autre pour y lire une longue série de titres comme « Gués », « Défense des ports », « Avions », « Irlande », « Égypte », « Forts de Portsmouth », « la Manche », « Rosyth », et une vingtaine d'autres. Chaque compartiment débordait de papiers et de plans.

« Prodigieux ! » déclara le secrétaire. Il posa son cigare et applaudit doucement de ses grosses mains.

« Et tout cela en quatre ans, Baron. Pas si mal comme performance pour un petit châtelain de campagne grand buveur et cavalier infatigable. Mais le joyau de ma collection va venir et tout est prêt pour l'accueillir. » Il montra du doigt un casier sur lequel était écrit « Code des transmissions de la Marine ».

« Mais vous avez là déjà un bon dossier ?

— Ce ne sont que de vieux papiers qui ne sont plus valables aujourd'hui. L'Amirauté a été alertée je ne sais comment et tous les codes ont été changés. Cela m'a porté un coup, Baron ! Le plus grave revers de toutes ma campagne. Mais grâce à mon carnet de chèques et au brave Altamont, tout sera réparé ce soir même. »

---

chiffres ou des points) ; **score** signifie également *vingt, vingtaine* ; **scores of people** : *une foule de gens.*
9. **to bristle :** *(se) hérisser* ; **to bristle with :** *être hérissé de* ; ici, les papiers *débordaient* des casiers et *dépassaient en tout sens.*
10. **show** a ici le sens de *performance :* également, *exposition* (**motor show** : *salon de l'auto*), *spectacle* (**show business** : *monde du spectacle*), *parade, apparence...*
11. **hard :** *dur, durement* ; **hard work** : *travail assidu.* Expressions : **hard drinker** : *grand buveur* (qui boit sec), **hard rider** : *cavalier qui passe son temps à cheval.*
12. **signal** ['signl] : *signal,* ici, *code des transmissions.*
13. **out of date :** *démodé, obsolète, périmé.*
14. **set-back :** *échec, revers* (se dit aussi **failure**).

The Baron looked at his watch, and gave a guttural exclamation [1] of disappointment.

"Well, I really can wait no longer [2]. You can imagine that things are moving at present in Carlton Terrace [3] and that we have all to be [4] at our posts. I had hoped to be able to bring news [5] of your great coup [6]. Did Altamont name no hour ?"

Von Bork pushed over a telegram.

"Will come without fail tonight and bring new sparking plugs [7]. Altamont."

"Sparking plugs, eh ?"

"You see he poses as [8] a motor expert and I keep [9] a full garage. In our code everything likely to come up is named after [10] some spare part. If he talks of a radiator it is a battleship, of an oil pump a cruiser, and so on. Sparking plugs are naval signals."

"From Portsmouth at midday," said the secretary, examining the superscription. "By the way, what do you give him ?"

"Five hundred pounds for this particular job. Of course he has a salary as well."

"The greedy rogue [11]. They are useful, these traitors, but I grudge [12] them their blood money."

"I grudge Altamont nothing. He is a wonderful worker.

---

1. **to give an exclamation, a cry** : *pousser une exclamation, un cri.* À rapprocher de **to give a smile, a look** : *adresser un sourire, un regard.*

2. **I can wait no longer** : tournure recherchée ; en angl. courant, **I can't wait any longer** (ou **any more**).

3. **Carlton Terrace** : résidence au sud-ouest de Londres où se trouvait l'ambassade d'Allemagne en 1914 ; mitoyenne de **Carlton Garden** où résida le général de Gaulle pendant la Seconde Guerre mondiale.

4. **we have all to be** : formule plus forte que **we must all be** (l'obligation est imposée par une autorité extérieure ou par les circonstances) ; **to have to** peut remplacer **must** à tous les temps, de même que **to be able to** peut remplacer **can** *(pouvoir),* comme c'est le cas plus bas.

5. **△news** : *nouvelle* au sing. et au pl. ; n'est jamais précédé de l'article indéfini **a.**

Le Baron regarda sa montre et poussa une exclamation gutturale de déception.

« Oh ! Je ne peux vraiment pas attendre plus longtemps. Vous devinez bien que les choses bougent en ce moment à Carlton Terrace et que nous devons tous être à nos postes. J'avais espéré être en mesure de rapporter la nouvelle de votre grand coup. Altamont ne vous a-t-il pas fixé d'heure ? »

Von Bork poussa vers lui un télégramme :

« Viendrai sans faute ce soir et apporterai les nouvelles bougies. Altamont. »

— Des bougies d'allumage ?

— Vous voyez, il joue à l'expert automobile et moi je possède un garage complet. Dans notre code, chaque renseignement susceptible de me parvenir porte le nom d'une pièce détachée quelconque. S'il parle d'un radiateur, c'est un cuirassé ; s'il parle d'une pompe à huile, c'est un croiseur, etc. Les bougies d'allumage sont les codes de transmissions de la Marine.

— C'est daté de Portsmouth à midi, dit le secrétaire en examinant l'inscription en tête. Au fait, combien lui donnez-vous ?

— Cinq cents livres pour ce travail particulier. Bien sûr il a aussi son salaire.

— Quel gourmand, ce coquin. Ils sont bien utiles ces traîtres, mais c'est à contrecœur que je paie le prix du sang.

— Je ne donne rien à Altamont à contrecœur. C'est un travailleur merveilleux.

---

6. **coup** : mot fr. employé en angl. dans le sens de *coup audacieux* ou de *coup d'État*.

7. **to sparkle** : *étinceler, pétiller* ; a spark : *une étincelle* (ici *d'allumage*) ; sparking plug : *bougie d'allumage automobile* ; **plug** est aussi *une prise de courant*.

8. **to pose as** : *se faire passer pour* (**he poses as an artist** : *il se donne des airs d'artiste*).

9. **to keep** : *garder,* a ici le sens *d'avoir en magasin.*

10. **is named after** : m. à m. : *est nommé d'après.*

11. **rogue** [roug] : *fripon, gredin, coquin.*

12. **to grudge** : *donner à contrecœur, reprocher, trouver à redire* ; **to have a grudge against** : *en vouloir à.*

If I pay him well, at least he delivers[1] the goods, to use his own phrase[2]. Besides he is not a traitor. I assure you that our most pan-Germanic Junker[3] is a sucking dove[4] in his feelings towards England as compared with a real bitter Irish-American[5]."

"Oh, an Irish-American ?"

"If you heard him talk[6] you would not doubt it. Sometimes I assure you I can hardly understand him. He seems to have declared war on the King's English[7] as well as on the English King. Must you really go ? He may be here any moment."

"No. I am sorry but I have already over-stayed[8] my time. We shall expect you early tomorrow, and when you get that signal book through the little door on the Duke of York's steps you can put a triumphant Finis[9] to your record in England. What ! Tokay !" He indicated a heavily sealed dust-covered bottle which stood with two high glasses upon a salver[10].

"May I offer you a glass before your journey ?"

"No, thanks. But it looks like revelry[11]."

"Altamont has a nice taste in wines, and he took a fancy to[12] my Tokay. He is a touchy fellow and needs humouring[13] in small things. I have to study him, I assure you." They had strolled out on to the terrace again, and along it to the further end where at a touch from the Baron's chauffeur the great car shivered and chuckled.

---

1. ▲ **to deliver** : *livrer* (au sens commercial), *distribuer, remettre ;* mais *délivrer qqn :* to release, to free sb.

2. **phrase** [freiz] : *expression, tournure.*

3. **Junker :** membre de l'aristocratie prussienne, très patriote.

4. **to suck :** *sucer ;* a sucking dove : *une colombe qui suce un biberon ;* à rapprocher de l'expression « un enfant au berceau », pour évoquer une personne naïve et innocente.

5. **Irish-American :** *Américain d'origine irlandaise ;* les Irlandais sont très nombreux à avoir émigré aux U.S.A. à cause des problèmes économiques (pauvreté dans le sud, famine de la pomme de terre en 1845-1849) et des problèmes politiques et religieux avec la Grande-Bretagne.

6. **to hear sb talk** ou **to hear sb talking :** deux constructions possibles après les verbes de perception.

Si je le paie bien, au moins me livre-t-il de la bonne marchandise, pour reprendre sa propre expression. En outre ce n'est pas un traître. Je vous assure que le plus pangermain de nos Junkers est comme une tendre colombe si l'on compare ses sentiments anti-anglais avec ceux de cet Américano-Irlandais plein de rancœur.

— Oh ! c'est un Américain d'origine irlandaise ?

— Si vous l'entendiez parler, vous ne pourriez en douter. Croyez-moi, parfois je peux à peine le comprendre. On dirait qu'il a déclaré la guerre autant à l'anglais du roi qu'au roi d'Angleterre. Êtes-vous vraiment obligé de partir ? Il peut arriver d'un instant à l'autre.

— Non. Je suis désolé mais j'ai déjà dépassé l'heure. Nous vous attendrons demain matin de bonne heure ; et quand vous ferez franchir à ce livre de transmissions la petite porte qui donne sur le perron du duc d'York, vous pourrez inscrire un triomphal « Fin » sur vos dossiers anglais. Mais que vois-je ! Du Tokay ? » Il désigna une bouteille bien cachetée et couverte de poussière qui se trouvait avec deux grands verres sur un plateau.

« Puis-je vous en offrir un verre avant votre départ ?

— Non, merci. Mais vous vous préparez à faire la fête ?

— Altamont s'y connaît en bons vins et il a pris goût à mon Tokay. C'est un homme susceptible et je dois le ménager dans les petits détails. Il faut que je le soigne, je vous l'assure. » Ils étaient ressortis sur la terrasse, marchant à pas lents, et ils le suivirent jusqu'à son extrémité où était garée la grosse voiture du Baron ; Au premier geste du chauffeur, le moteur frémit et gloussa.

---

7. **the King's English :** *le bon anglais, l'anglais correct ;* à l'époque actuelle, on dit **the Queen's English.** On a gardé ici la traduction littérale, l'anglais du roi, pour conserver le jeu de mots avec « le roi d'Angleterre ».

8. **to overstay :** *rester trop longtemps, dépasser son temps ;* autres ex. où **over** veut dire trop : **to oversleep** (*trop dormir*), **to overwork** (*trop travailler, se surmener*), **to overspend** (*dépenser au-delà de ses moyens*) etc.

9. **Finis :** mot latin, *fin, conclusion* (livre, histoire).

10. **salver :** *plateau d'argent* pour courrier ou boissons.

11. **revelry :** *divertissement, réjouissance, plaisirs.*

12. **to take a fancy to :** *s'enticher de, prendre goût à.*

13. **to humour :** *se plier aux caprices de ;* **needs humouring :** *a besoin qu'on se prête à ses fantaisies, à ses désirs.*

"Those are the lights of Harwich, I suppose," said the secretary, pulling on [1] his dust coat [2]. "How still and peaceful it all seems. There may be other lights [3] within the week, and the English coast a less tranquil place ! The heavens [4], too, may not be quite so peaceful if all that the good Zeppelin [5] promises us comes true. By the way, who is that ?"

Only one window showed a light behind them ; in it there stood a lamp, and beside it, seated at a table, was a dear old ruddy-faced woman [6] in a country cap [7]. She was bending over her knitting [8] and stopping occasionally to stroke [9] a large black cat upon a stool beside her.

"That is Martha, the only servant I have left."

The secretary chuckled.

"She might almost personify Britannia [10]," said he, "with her complete self-absorption [11] and general air of comfortable somnolence. Well, au revoir, Von Bork !" — with a final wave of his hand he sprang [12] into the car, and a moment later the two golden cones from the headlights shot forward [13] through the darkness. The secretary lay back in the cushions of the luxurious limousine, with his thoughts so full of the impending [14] European tragedy [15] that he hardly observed that as his car swung round the village street it nearly passed over a little Ford coming in the opposite direction.

---

1. **to pull on** = to put on : *mettre, enfiler un vêtement.*
2. **dust coat** : (désuet), *cache-poussière, manteau léger ; imperméable* en angl. moderne se dit **raincoat, mackintosh.**
3. **other lights** : il s'agit des *lumières* des navires de guerre ; noter que **other,** adj., est invariable au pl.
4. **heaven(s)** : *ciel (cieux),* généralement au sens figuré. to go to heaven : *aller au ciel ;* **good heavens** : *juste ciel, bonté divine ;* mais **sky** = *le ciel* au sens concret.
5. **comte Ferdinand von Zeppelin** (1831-1917) : officier, puis industriel allemand qui construisit des dirigeables rigides ; le 1er « Zeppelin » fut essayé en 1900.
6. **a dear old ruddy-faced woman** : **dear** a ici le sens de *charmante, adorable ;* **old** est un terme d'affection familière ; et **ruddy** signifie *au teint rouge de santé.*
7. **cap** : *bonnet, couvre-chefs* de toutes sortes (béret,

« Ce sont les lumières de Harwich, je suppose ? dit le secrétaire en mettant son imperméable. Comme tout semble calme et paisible ! Il se peut qu'avant une semaine il y ait ici d'autres lumières, et que la côte anglaise soit un endroit moins tranquille ! Le ciel aussi pourrait n'être pas tout à fait aussi paisible si tout ce que le brave Zeppelin nous promet se réalise. Tiens, qui vois-je là ? »

Derrière eux, une seule fenêtre était éclairée ; à l'intérieur on apercevait une lampe, et à côté, devant une table, était assise une mignonne petite vieille au visage coloré portant une coiffe de campagne. Elle était penchée sur son tricot et s'arrêtait de temps en temps pour caresser un gros chat noir qui se tenait près d'elle sur un tabouret.

« C'est Martha, la seule domestique que j'aie gardée. »

Le secrétaire émit un petit rire.

« Elle pourrait presque personnifier Britannia, dit-il ; elle a l'air d'être complètement repliée sur elle-même dans une atmosphère générale de somnolence confortable. Eh bien ! au revoir, von Bork ! » En agitant sa main une dernière fois, il grimpa dans sa voiture, et bientôt les deux cônes dorés de ses phares s'élancèrent dans la nuit. Le secrétaire s'était renversé sur les coussins de la somptueuse limousine, et il avait l'esprit si préoccupé par l'imminence de la tragédie européenne qu'il ne remarqua guère qu'au moment où sa voiture tourna dans la rue du village, elle passa presque par-dessus une petite Ford qui arrivait de la direction opposée.

---

casquette, toque...) ; noter l'emploi de la préposition **in** pour introduire le port d'un vêtement.

8. **to knit (knit, knit)** [nit] : *tricoter ;* **knitting** : *du tricot* (qu'on fait) ; mais *un tricot* qu'on porte = **sweater** , **jumper, jersey**.

9. **to stroke :** *caresser, flatter, passer la main sur ;* mais **stroke** signifie à la fois *caresse* et *coup, choc, attaque*.

10. **Britannia :** nom d'origine latine symbolique de la Grande-Bretagne.

11. **to be self absorbed :** *être replié sur soi, égoïste*.

12. **to spring (sprang, sprung) :** *sauter, bondir, jaillir*.

13. **to shoot forward :** *s'élancer, se précipiter en avant*.

14. **to impend over :** *être suspendu sur, être imminent*.

15. il s'agit bien sûr de la 1re Guerre mondiale.

Von Bork walked slowly back[1] to the study when the last gleams of the motor lamps had faded[2] into the distance. As he passed he observed that his old housekeeper[3] had put out[4] her lamp and retired. It was a new experience for him, the silence and darkness of his widespread house, for his family and household[5] had been a large one. It was a relief to him, however, to think that they were all in safety and that, but for one old woman who had lingered in the kitchen, he had the whole place to himself. There was a good deal of[6] tidying up to do inside his study and he set himself to[7] do it, until his keen[8], handsome face was flushed[9] with the heat of the burning papers. A leather valise stood beside his table, and into this he began to pack very neatly and systematically the precious contents of his safe. He had hardly got started with[10] the work, however, when his quick ears[11] caught the sound of a distant car. Instantly he gave an exclamation of satisfaction, strapped[12] up the valise, shut the safe, locked it, and hurried out[13] on to the terrace. He was just in time to see the lights of a small car come to a halt at the gate. A passenger sprang out of it and advanced swiftly towards him, while the chauffeur[14], a heavily built, elderly man, with a grey moustache, settled down, like one who resigns himself to a long vigil.

---

1. **to walk back** : la postposition **back** exprime le retour au point de départ, d'où la traduction *revenir* (en marchant) ; de même **to send back** : *renvoyer ;* **to bring back** : *rapporter ;* **to be back** : *être de retour,* etc.
2. **had faded** : pluperfect en angl. pour montrer que l'action est passée par rapport à l'action de la principale, ici **walked**, qui est au prétérit.
3. **housekeeper** : *femme de charge, intendante, gouvernante.*
4. **to put out** : *éteindre* une lumière, un feu, une bougie ; pour l'électricité, on emploie **to turn off** ou **switch off**.
5. **household** : *maisonnée, domesticité ;* **household goods** : *articles ménagers ;* **household expenses** : *frais de ménage.*
6. **a good deal of** = **a great deal of** + sing. *beaucoup de, pas mal de ;* remplace **much** à la forme affirmative.
7. **to set oneself to** : *se mettre à, s'appliquer à.*

Von Bork revint lentement vers son bureau quand les dernières lueurs des phares de la voiture eurent disparu dans le lointain. Au passage, il remarqua que sa vieille femme de charge avait éteint sa lampe et s'était retirée. C'était quelque chose de nouveau pour lui, ce silence et cette obscurité dans sa vaste maison, car sa famille et sa nombreuse domesticité prenaient une grande place. Pourtant il éprouvait un certain soulagement à la pensée qu'ils étaient tous en sécurité et que, à l'exception de cette vieille femme qui s'était attardée dans la cuisine, il était le seul maître des lieux. Il y avait pas mal de choses à ranger à l'intérieur de son bureau et il se mit à l'ouvrage jusqu'à ce que son beau visage fin fût coloré par la chaleur que dégageaient les papiers qu'il brûlait. Une valise de cuir était posée à côté de la table et il commença à empaqueter soigneusement et méthodiquement le précieux contenu de son coffre-fort. Mais à peine eut-il commencé son travail que son oreille fine enregistra le bruit d'une voiture qui approchait. Immédiatement, il poussa une exclamation de satisfaction, boucla la valise, ferma le coffre, lui donna un tour de clé et sortit précipitamment sur la terrasse. Il arriva juste à temps pour voir les phares d'une petite voiture qui s'arrêtait devant la grille. Un passager en descendit et s'avança vers lui d'un pas vif, tandis que le chauffeur, un homme d'un certain âge à la forte charpente et à la moustache grise, s'installait comme quelqu'un qui se résigne à une longue attente.

---

8. **keen** : *aigu, perçant, vif, fin, aiguisé... ; * **to be keen on** : *être passionné de , être emballé pour, tenir à.*

9. **to flush** : 1) *laver à grande eau ; * 2) *rougir, avoir le sang qui monte au visage, être empourpré.*

10. **to get started with sth** ou **to get sth started** : to get ne sert ici qu'à renforcer le verbe qui suit ; de même **to get sth finished** : *venir à bout de qqch.*

11. **quick ear** : *oreille fine ; * **quick mind** : *esprit agile.*

12. **to strap** : *boucler, sangler, fermer avec une courroie.*

13. **to hurry out** : la postposition **out** indique la direction du déplacement et le verbe la manière dont on se déplace ; donc *il sortit précipitamment.*

14. **chauffeur** : *chauffeur de maître ; conducteur = * **driver**.

"Well ?" asked Von Bork eagerly [1], running forward to meet his visitor.

For answer the man waved a small brown paper parcel triumphantly above his head.

"You can give me the glad hand [2] tonight, Mister," he cried. "I'm bringing home the bacon [3] at last."

"The signals ?"

"Same as [4] I said in my cable. Every last one of them [5], semaphore, lamp code, Marconi [6] — a copy, mind you, not the original. That was too dangerous. But it's the real goods, and you can lay to that." He slapped the German upon the shoulder with a rough familiarity from which the other winced [7].

"Come in," he said. "I'm all alone in the house. I was only waiting for this. Of course a copy is better than the original. If an original were [8] missing they would change the whole thing. You think it's all safe about the copy ?"

The Irish American [9] had entered the study and stretched his long limbs from the armchair. He was a tall, gaunt man of sixty, with clear-cut [10] features and a small goatee [11] beard which gave him a general resemblance [12] to the caricatures of Uncle Sam [13]. A half-smoked, sodden [14] cigar hung from the corner of his mouth, and as he sat down he struck a match and relit it.

"Making ready for a move ?" he remarked as he looked round him.

---

1. **eagerly :** (adv.), *avec avidité, impatiemment ;* to be eager to : *être ardemment désireux de, brûler de.*
2. **a glad hand :** *un accueil chaleureux, empressé.*
3. **to bring home the bacon :** 1) *ramener la timbale ;* 2) *faire bouillir la marmite.* Attention, un grand nombre d'expressions argotiques américaines va suivre dans ce long dialogue Altamont-von Bork ; elles sont employées intentionnellement par l'auteur, et semble-t-il à plaisir.
4. **same as :** incorrect ; on dirait it's just as I said...
5. **every last one of them :** tournure d'insistance, *tous jusqu'au dernier.*
6. **Marconi :** système de transmission télégraphique sans fil inventé par l'Italien Marconi (1874-1937).
7. **to wince :** *tressaillir, faire une grimace de douleur,* ici de gêne (devant la familiarité de l'américain).

« Alors ? » demanda anxieusement von Bork qui arrivait en courant pour accueillir son visiteur.

Pour toute réponse, l'homme agita triomphalement au-dessus de sa tête un petit paquet enveloppé de papier brun.

« Vous pouvez m'accueillir joyeusement ce soir, monsieur ! s'écria-t-il. Je ramène enfin le gros lot !

— Le code des transmissions ?

— Comme je l'ai dit dans mon télégramme. Tous jusqu'au dernier : sémaphores, signaux lumineux, Marconi... Une copie, remarquez bien, pas l'original. C'était trop dangereux. Mais c'est de la bonne marchandise, vous pouvez en être sûr. » Il assena une grande claque sur l'épaule de l'Allemand avec une familiarité vulgaire qui fit se crisper d'agacement le visage de l'autre.

« Entrez ! dit-il. Je suis tout seul dans la maison. Je n'attendais plus que ce petit paquet. Bien sûr une copie vaut mieux que l'original. Si un original venait à manquer, ils changeraient tous les codes. Vous pensez que pour cette copie il n'y a pas de danger ? »

L'Américain était entré dans le bureau et il étira ses longs membres dans un fauteuil. C'était un grand homme maigre d'une soixantaine d'années, aux traits nettement dessinés, et il portait un petit bouc qui faisait que son allure générale le faisait ressembler aux caricatures de l'Oncle Sam. Un cigare humide à demi fumé pendait d'un coin de sa bouche, et lorsqu'il s'assit il craqua une allumette pour le rallumer.

« Alors on se prépare à partir ? fit-il en regardant autour de lui.

---

8. **∆if... were** : if + prétérit exprime une condition contraire à la réalité ou improbable ; quand il s'agit du prétérit de **to be**, **were** remplace **was** à la 1re et 3e pers. du sing. **If I were you**, *si j'étais vous.*

9. sera désormais traduit « *l'Américain* » pour alléger.

10. **clear cut** : *d'une grande netteté, tranché, précis.*

11. **goatee** : *barbiche, bouc ; un bouc* (animal) = **goat.**

12. **resemblance** [ri'zembləns] : *ressemblance ;* **to bear a strong resemblance to** : *avoir une grande ressemblance avec.*

13. **Uncle Sam** : personnage symbole de l'Amérique (à qui Altamont ressemblait effectivement, cigare compris) qui fut représenté le doigt pointé en avant sur toutes les affiches d'enrôlement militaire pendant la 1re Guerre mondiale, avec en légende : **"Uncle Sam wants you".**

14. **sodden** : *détrempé, saturé d'humidité, de pluie...*

"Say, Mister [1]," he added, as his eyes fell upon the safe from which the curtain was now removed, "you don't tell me you keep your papers in that ?"

"Why not ?"

"Gosh [2], in a wide-open [3] contraption [4] like that ! And they reckon you to be some spy [5]. Why, a yankee [6] crook would be into that with a can-opener. If I'd known that any letter of mine was goin' [7] to lie loose in a thing like that I'd have been a mug [8] to write to you at all."

"It would puzzle any crook [9] to force that safe," Von Bork answered. "You don't cut that metal with any tool."

"But the lock ?"

"No, it's a double combination lock. You know what that is ?"

"Search me [10]," said the American.

"Well, you need a word as well as a set of figures before you can get the lock to work [11]." He rose and showed a double-radiating disc round the keyhole. "This outer one [12] is for the letters, the inner [13] one for the figures."

"Well, well, that's fine."

"So it's not quite as simple as you thought. It was four years ago that I had it made [14], and what do you think I chose for the word and figures ?"

---

1. **Mister :** tournure populaire pour **sir**, équivaut à *M'sieur*. Mr s'emploie normalement suivi du nom de famille ou de la fonction (**Mr Jones ; Mr Chairman** : *M. le président*).
2. **gosh :** déformation de **God !** *sapristi, zut, tudieu !*
3. **wide open :** *grand, largement ouvert ;* **wide awake :** *complètement réveillé ;* **wide apart :** *très espacé…*
4. **contraption :** (argot), *dispositif, « machin », truc.*
5. **some spy : some** est ici adj. laudatif et correspond à *un fameux, un pas ordinaire* (that's **some hat :** *tu parles d'un chapeau !*) ; they **reckon** you = they **consider** you.
6. ▲**yankee :** en Angleterre, un **yankee** est un Américain des U.S.A. ; mais aux U.S.A., un **yankee** est un habitant de la Nouvelle Angleterre ; pendant la guerre de Sécession, (1861-1865), les sudistes appelèrent **yankee** tout habitant des États du nord et pour eux ce nom est resté péjoratif.
7. **goin' :** orthographe parlée pour **going**.

Dites, monsieur, ajouta-t-il, les yeux tombant en arrêt devant le coffre que le rideau tiré avait maintenant mis à découvert, vous n'allez pas me dire que vous gardez vos papiers là-dedans ?

— Pourquoi pas ?

— Sapristi ! Dans un truc pareil, tout béant ! Et on vous prend pour un grand espion. Mais voyons, un cambrioleur yankee ouvrirait ça avec un ouvre-boîtes ! Si j'avais su que l'une quelconque de mes lettres allait se perdre dans un machin comme ça, j'aurais été une vraie andouille de vous écrire la moindre ligne.

— Ce coffre laisserait n'importe quel cambrioleur dans un bel embarras, répliqua von Bork. Vous ne couperez pas ce métal avec quelque instrument que ce soit.

— Mais la serrure ?

— Non, c'est une serrure à double combinaison. Vous savez ce que je veux dire par là ?

— Je n'en ai pas la moindre idée, dit l'Américain.

— Eh bien, il vous faut un mot ainsi qu'une combinaison de chiffres avant de pouvoir faire jouer la serrure. » Il se leva et montra un disque à double graduation qui tournait autour du trou de la serrure. « Le cercle extérieur est pour les lettres, le cercle intérieur pour les chiffres.

— Tiens, tiens ! C'est pas mal !

— Alors vous voyez, ce n'est pas aussi simple que vous le pensiez. Cela fait quatre ans que je l'ai fait faire, et que croyez-vous que j'ai choisi comme mot et comme chiffres ?

---

8. **mug :** 1) *timbale, chope* (pour la bière), *grosse tasse à thé ;* 2) *imbécile, nigaud,* « *cruche* » *;* 3) *trogne,* « *gueule* ».

9. **crook :** *escroc* (également, **rogue, swindler**).

10. **to search :** *chercher, fouiller, perquisitionner ;* **search me !** (argot), *je n'ai pas la moindre idée !*

11. **to get sth to work :** *faire marcher qqch.*

12. **one :** pronom employé pour éviter la répétition du mot **disc** ; la traduction le remplace donc par « *cercle* ».

13. **inner, outer** sont des adjectifs *(intérieur, extérieur) ;* mais *l'intérieur d'une maison* = **the inside of a house ;** *il est à l'extérieur (dehors)* = **he is outside.**

14. **△to have sth made :** *faire fabriquer qqch* (par qqn) ; **to have a car washed :** *faire laver une voiture.*

"It's beyond me."

"Well, I chose August for the word, and 1914 for the figures, and here we are."

The American's face showed his surprise and admiration.

"My [1], but that was smart [2] ! You had it down to a fine thing."

"Yes, a few of us even then could have guessed the date. Here it is, and I'm shutting down [3] tomorrow morning."

"Well, I guess [4] you'll have to fix me up [5] also. I'm not staying in this goldarned [6] country all on my lonesome [7]. In a week or less, from what I see, John Bull [8] will be on his hind legs and fair ramping [9]. I'd rather [10] watch him from over the water."

"But you are an American citizen ?"

"Well, so was Jack James an American citizen, but he's doing time in Portland all the same. It cuts no ice with [11] a British copper [12] to tell him you're an American citizen. 'It's British law and order [13] over here,' says he. By the way, Mister, talking of Jack James it seems to me you don't do much to cover your men."

"What do you mean ?" Von Bork asked sharply.

"Well, you are their employer, ain't you [14] ? It's up to you to see that they don't fall down. But they do fall down and when did you ever pick them up [15] ? There's James —"

---

1. **my** : ici interjection familière, *oh ! là, là ! sapristi !*
2. **smart** : 1) *vif, cuisant* (douleur) ; 2) *alerte, éveillé, débrouillard, intelligent ;* 3) *fin, spirituel, piquant ;* 4) *élégant, chic, tiré à quatre épingles.* le sens dépend bien sûr du contexte ; ici, *ça c'était futé, malin, habile.*
3. **I'm shutting down** : présent progressif à sens de futur ; to shut down : *fermer* (une boutique, une usine...).
4. **to guess** : *deviner,* mais au sens U.S., *croire, penser ;* (I guess you are right : *à mon avis, vous avez raison*).
5. **to fix up** : 1) *arranger, conclure une affaire* (it's all fixed up : *c'est une affaire réglée*) ; 2) *caser, héberger* traduit ici par *s'occuper de ;* to fix me up, noter la place du c.o.d. entre le verbe et la postposition ; quand le c.o.d. est un nom, il se place après (**to fix up a friend**).
6. **goldarned** = goddarned = goddamned : *sacré Dieu.*

— Cela me dépasse !

— Eh bien, à l'époque j'ai choisi août comme mot et 1914 comme chiffres, et nous y voilà ! »

Le visage de l'Américain exprima sa surprise et son admiration.

« Par exemple ! mais c'était pas bête ! vous êtes tombé juste dessus.

— Oui, bien peu d'entre nous à l'époque auraient pu deviner la date. On y est arrivé, et demain matin je ferme et je m'en vais.

— Dites, je crois bien que vous allez devoir vous occuper de moi aussi. Je ne reste pas dans ce sacré pays tout seul. Dans une semaine, ou même avant d'après moi, John Bull va se dresser sur ses pattes de derrière et devenir fou furieux. J'aimerais mieux assister au spectacle de l'autre côté de l'eau.

— Mais vous êtes citoyen américain ?

— Eh oui ! Jack James aussi était citoyen américain, mais pourtant il fait son temps à la prison de Portland. Cela ne sert à rien de dire à un flic anglais qu'on est citoyen américain ; "c'est la loi anglaise qui commande par ici", me dirait-il. Mais au fait, monsieur, puisqu'on parle de Jack James, il me semble que vous ne faites pas grand-chose pour couvrir vos hommes ?

— Que voulez-vous dire ? demanda von Bork âprement.

— Ben ! vous êtes leur employeur, oui ou non ? C'est à vous de veiller à ce qu'ils ne se fassent pas prendre. Le problème c'est qu'ils tombent, et quand avez-vous jamais essayé de les tirer d'affaire ? Il y a James par exemple...

---

7. **all on my lonesome** = on my own, all alone : *tout seul.*
8. **John Bull :** personnifie la nation britannique, l'anglais typique ; l'expression a déjà été utilisée page 164.
9. **to ramp :** *se dresser sur ses pattes de derrière d'un air menaçant* (lion), par ext., *tempêter, être furieux.*
10. ▲**I'd rather (I would rather) :** *j'aimerais mieux, je préférerais,* se construit suivi de l'inf. sans **to** comme **I'd better (I had better) :** *je ferais mieux de.*
11. **it cuts no ice with :** *c'est sans effet sur.*
12. **copper,** ou **cop :** *flic* (argot U.S.) : en G.B., **bobby.**
13. **law and order :** expression, *la justice, l'ordre public.*
14. **ain't you :** expression populaire pour **aren't you.**
15. **to pick up :** *ramasser, relever,* ici *repêcher, sauver.*

"It was James'own fault. You know that yourself. He was too self-willed [1] for the job."

"James was a bonehead — I give you that. Then there was Hollis."

"The man was mad."

"Well, he went [2] a bit woozy [3] towards the end. It's enough to make a man bughouse [4] when he has to play a part from morning to night with a hundred guys all ready to set the coppers wise [5] to him. But now there is Steiner —"

"What about Steiner ?"

"Well, they've got him, that's all. They raided his store last night, and he and his papers are all in Portsmouth gaol. You'll go off and he, poor devil, will have to stand the racket [6], and lucky if he gets off with [7] his life. That's why I want to get over the water soon as you do."

Von Bork was a strong, self-contained [8] man, but it was easy to see that the news had shaken him.

"How could they have got on to [9] Steiner ?" he muttered [10]. "That's the worst [11] blow yet."

"Well, you nearly had a worse one, for I believe they are not far off me."

"You don't mean that [12] !"

"Sure thing. My landlady down Fratton way had some inquiries, and when I heard of it I guessed it was time for me to hustle.

---

1. **self-willed :** *volontaire, obstiné, entêté ;* adj. composé de **self** *(soi-même)* et nom + -ed. Formation fréquente pour des adj. exprimant des qualités abstraites (**self-educated :** *qui s'est instruit tout seul, autodidacte ;* **self-involved :** *replié sur soi-même ;* **self-possessed :** *maître de soi, qui garde son sang-froid,* etc.).

2. **went :** *to go* suivi d'un adj. ou d'une locution descriptive a le sens de *devenir* (**to go mad :** *devenir fou ;* **to go to pieces :** *s'en aller en morceaux, s'effondrer...*).

3. **woozy** (U.S.) = **befuddled** (G.B.) : *hébété, « vaseux ».*

4. **bughouse :** (argot U.S.), *maison de fous, « cabanon » ;* to be bughouse (ou bug-house) : *être fou, cinglé, toqué.*

5. **to set sb wise** = *to put sb wise : avertir qqn, mettre qqn au courant, donner le mot à qqn.*

6. **racket :** *vacarme, tintamarre, plaisirs mondains, tourbil-*

— Tout a été de la faute de James. Vous le savez très bien vous-même. Il était trop rigide pour ce genre de travail.

— James avait une tête de pioche — je vous l'accorde. Et puis il y a eu Hollis...

— Ce type était fou.

— Ma foi, il est devenu un peu dingo sur la fin. Mais il y a de quoi rendre un homme cinglé quand il lui faut jouer la comédie du matin au soir avec une centaine de types tout prêts à lui envoyer les flics. Mais maintenant c'est le tour de Steiner...

— Quoi, Steiner ?

— Ben ! ils l'ont eu, c'est tout. Ils ont fait une descente à son magasin la nuit dernière, et lui et ses papiers sont à la prison de Portsmouth. Vous, vous allez partir et lui, le pauvre diable, va devoir subir les conséquences, et il aura de la chance s'il sauve sa tête. C'est pour ça que je voudrais passer de l'autre côté de la mer en même temps que vous. »

Von Bork était un homme fort, très maître de ses nerfs, mais il était clair que la nouvelle l'avait secoué.

« Comment ont-ils pu aboutir à Steiner ? murmura-t-il. C'est le coup le plus dur jusqu'à présent.

— Vous avez bien failli en recevoir un plus dur encore car je crois qu'ils sont sur ma piste.

— C'est impossible !

— Si, c'est bien vrai ! Ma logeuse qui habite du côté de Fratton a été questionnée, et quand je l'ai su, j'ai pensé qu'il était temps pour moi de déguerpir.

---

lons de plaisir ; a ici le sens d'*épreuve*, de *situation critique* (**to stand the racket** : *subir les conséquences de ses actes, payer les pots cassés*).

7. **to get off** : 1) *enlever* (un vêtement) ; 2) *s'en aller, descendre* (d'un véhicule) ; 3) *tirer d'affaire qqn* ; **to get off with one's life** : « *s'en tirer* », *sauver sa tête*.

8. **self-contained** : *renfermé, peu communicatif* (cf. note 1).

9. **to get on to** : *arriver jusqu'à, découvrir.*

10. **to mutter** : *murmurer, grommeler.*

11. **△ the worst** : superlatif irrégulier de **bad** ; le comparatif est **worse** *(pire)*, à ne pas confondre avec **worth**, subst. et adj. signifiant *valeur, qui vaut la peine.*

12. **you don't mean that** : *vous ne voulez pas dire cela !*

But what I want to know, Mister, is how the coppers know these things ? Steiner is the fifth man you've lost since [1] I signed on [2] with you, and I know the name of the sixth if I don't get a move on [3]. How do you explain it and ain't you ashamed to see your men go down like this ?"

Von Bork flushed crimsom [4].

"How dare you speak [5] in such a way !"

"If I didn't dare things, Mister, I wouldn't be in your service [6]. But I'll tell you straight [7] what is in my mind. I've heard that with you German politicians, when an agent has done his work you are not sorry to see him put away."

Von Bork sprang to his feet.

"Do you dare to suggest that I have given away [8] my own agents !"

"I don't stand for [9] that, Mister, but there's a stool pigeon [10] or a cross [11] somewhere, and it's up to you to find out where it is. Anyhow, I am taking no more chances [12]. It's me for little Holland, and the sooner the better [13]."

Von Bork had mastered his anger.

"We have been allies too long to quarrel now at the very hour of victory," he said. "You've done splendid work, and taken risks and I can't forget it.

---

1. ▲**since,** ici conjonction de temps, *depuis que,* est suivi d'un verbe au prétérit car **since** introduit le point d'origine d'une période (le verbe signer, s'engager est une action précise et terminée du passé) ; mais le verbe de la principale, **you've lost** : *vous avez perdu,* est au **present perfect,** car l'action dure encore.

2. **to sign on** : *signer son engagement, être embauché.*

3. **to get a move on** : *se dépêcher, lever l'ancre,* souvent employé à l'impératif (**get a move on** : *activez, grouillez*).

4. **crimsom** : *cramoisi,* est employé ici comme adverbe.

5. ▲**how dare you speak** : **dare** *(oser),* comme **need** *(avoir besoin de),* est un semi-défectif ; on peut donc dire soit **he does not dare to come,** soit **he dare not come** *(il n'ose pas venir) ;* à la forme interrogative, **how dare you** ? a plus de force que **how do you dare** ?

6. **in your service :** *à votre service ;* noter l'emploi de **in.**

Mais ce que je voudrais bien savoir, monsieur, c'est comment les flics sont au courant de ces choses ? Steiner est le cinquième agent que vous perdez depuis que vous m'avez embauché, et je connais le nom du sixième si je ne mets pas les voiles. Comment vous expliquez ça ? Et vous n'avez pas honte de voir vos hommes tomber les uns après les autres ? »

Von Bork rougit violemment.

« Comment osez-vous me parler sur ce ton ?

— Si je n'osais pas faire certaines choses, monsieur, je ne serais pas à votre service. Mais je vais vous dire carrément ce que j'ai dans la tête. J'ai entendu dire qu'avec vous, politiciens allemands, quand un agent a fait son travail, vous n'êtes pas trop tristes de le voir mis à l'ombre. »

Von Bork bondit.

« Osez-vous insinuer que j'ai livré mes propres agents ?

— Je ne vais pas jusque-là, monsieur, mais il y a un mouchard ou un truc qui cloche quelque part ; et c'est à vous de trouver où est la fuite. De toutes façons, je n'accepte plus de courir de risques. Je suis prêt pour la petite Hollande et le plus tôt sera le mieux. »

Von Bork avait dompté sa colère.

« Nous avons été alliés trop longtemps pour nous disputer maintenant à l'heure même de la victoire, déclara-t-il. Vous avez fait un travail magnifique et vous avez pris des risques que je ne peux oublier.

---

7. **straight :** même forme pour l'adj. *(droit, rectiligne, honnête...)* et l'adverbe *(directement, franchement).*
8. **to give away :** 1) *donner en cadeau, faire don de* (**a give-away price :** *un prix sacrifié*) ; 2) *dénoncer, trahir qqn, révéler qqch.*
9. **to stand for :** ici *défendre une idée, soutenir une cause ;* m. à m. : *je ne prétends pas ça.*
10. **stool pigeon :** *appeau, pigeon appelant ;* ici, *mouchard.*
11. **cross :** 1) *croix ;* 2) *ennui, contrariété, « filouterie ».*
12. ▲ **chance :** *hasard, sort, occasion ;* ici, *risque.*
13. ◬ **the sooner, the better :** *le plus tôt sera le mieux ;* pour exprimer des progressions parallèles, on emploie des comparatifs précédés de **the, to be** étant sous-entendu.

By all means [1] go to Holland, and you can get a boat from Rotterdam to New York. No other line will be safe a week from now [2]. I'll take that and pack it with the rest."

The American held the small parcel in his hand, but made no motion to give it up [3].

"What about the dough [4] ?" he asked.

"The what ?"

"The boodle [5]. The reward. The £ 500. The gunner [6] turned damned [7] nasty [8] at the last, and I had to square [9] him with an extra [10] hundred dollars or it would have been nitsky [11] for you and me. 'Nothin' doin' [12] !' says he [13], and he meant it too [14], but the last hundred did it. It's cost me two hundred pounds from first to last, so it isn't likely I'd give it up without gettin' my wad [15]."

Von Bork smiled with some bitterness. "You don't seem to have a very high opinion of my honour," said he, "you want the money before you give up the book."

"Well, Mister, it is a business proposition."

"All right. Have your way [16]." He sat down at the table and scribbled a cheque, which he tore from the book, but he refrained from handing it to his companion.

---

1. **by all means** : *par tous les moyens, à tous prix* ; ici, *mais certainement, comment donc, je vous en prie !*
2. **no other line... from now** : von Bork considère la guerre comme imminente et donc bientôt, pour retourner aux U.S.A., seules les lignes partant de Hollande seront sûres.
3. **to give up** : *céder, abandonner* (la partie), *renoncer à* ; to give up smoking : *renoncer à fumer.*
4. **dough** [dou] : *pâte à pain, à tarte* (**doughnut** : *beignet de pâte*) ; ici, argot U.S., *pognon, « galette ».*
5. **boodle** (familier), *tas, foule* (**the whole boodle** : *tout le tas*) ; a aussi le sens de *pot-de-vin, fonds secret.*
6. **gunner** : *canonnier, artilleur* dans la marine.
7. **damned** : (adverbe), *rudement, sacrément, « fichtrement ».*
8. **nasty** : *désagréable, mauvais, méchant* ; a nasty weather : *un sale temps* ; a nasty word : *un vilain mot.*

Allez bien sûr en Hollande, et de Rotterdam vous pourrez trouver un bateau pour New York. Aucune autre ligne ne sera sûre d'ici une semaine. Je vais prendre ce livre que vous m'apportez et l'emballer avec le reste. »

L'Américain tenait le petit paquet dans sa main mais ne fit aucun geste pour le lâcher.

« Et le fric ? demanda-t-il.

— Le quoi ?

— Le pèze. La récompense. Les cinq cents livres. L'officier d'artillerie est devenu sacrément mauvais vers la fin et j'ai été obligé de l'arroser de cent dollars de plus ou sinon, c'était "niet" sur toute la ligne. "Rien à faire !" qu'il disait, et il avait l'air sérieux en plus ; mais les cent derniers dollars ont fait pencher la balance. En tout ça m'a coûté deux cents livres d'un bout à l'autre, alors vous pensez bien que je ne vais pas lâcher le paquet sans avoir mon pognon. »

Von Bork sourit avec amertume. « Vous ne semblez pas avoir une très haute opinion de mon honneur, dit-il, vous voulez votre argent avant de me donner le livre.

— C'est que, monsieur, c'est un marché que je vous propose.

— D'accord. Comme il vous plaira. » Il s'assit devant sa table et griffonna un chèque qu'il retira du chéquier mais qu'il se garda bien de tendre à son interlocuteur.

---

9. **to square** 1) *faire cadrer, égaliser* (**to square accounts** : *régler ses comptes* ; **to square matters** : *arranger les choses*) ; ici, familier, *soudoyer, graisser la patte* ; 2) *quadriller, rendre carré, porter au carré* un nombre.

10. ▲ **extra** : *de plus, en sus, supplémentaire* (**an extra charge** : *un supplément à payer* ; **extra work** : *travail en plus*).

11. **nitsky** : adv. fabriqué sur **nit**, forme argotique de **not** ou **no** (peut-être d'origine yiddish).

12. **nothin' doin'** : le « g » non prononcé en fin de mot est une marque de langage populaire.

13. **says he, says I** = **said he, said I** (langage familier).

14. **he meant it too** : m. à m. : *et il en avait l'intention*.

15. **wad** : *tampon, bouchon* ; ici, *liasse de billets* (argot).

16. **to have one's way** : *faire ce que l'on veut, agir à sa guise*.

"After all, since we are to be[1] on such terms[2], Mr Altamont," said he, "I don't see why I should[3] trust[4] you any[5] more than you trust me. Do you understand ?" he added, looking back over his shoulder at the American. "There's the cheque upon the table. I claim the right to examine that parcel before you pick the money up[6]."

The American passed it over without a word. Von Bork undid a winding[7] of string and two wrappers of paper. Then he sat gazing for a moment in silent amazement[8] at a small blue book which lay before him. Across the cover was printed in golden letters Practical Handbook[9] of Bee Culture. Only[10] for one instant did the master spy glare at this strangely irrelevant inscription. The next he was gripped at the back of his neck by a grasp[11] of iron, and a chloroformed sponge was held in front of his writhing[12] face.

*
* *

"Another glass, Watson !" said Mr Sherlock Holmes, as he extended the bottle of Imperial Tokay.

The thickset chauffeur, who had seated himself by the table, pushed forward his glass with some eagerness.

"It is a good wine, Holmes."

"A remarkable wine, Watson. Our friend upon the sofa has assured me that it is from Franz Joseph's[13] special cellar at the Schoenbrunn Palace.

---

1. ▲**to be to** + verbe : exprime une action future qui a été convenue (rendu en fr. par le verbe *devoir*) ; **we are to leave at 2** : *nous devons* (c'est prévu) *partir à 2 heures ;* exprime aussi un ordre ou des instructions de type impersonnel ; **you are to do it now** : *il faut le faire maintenant.*
2. **to be on good terms, on bad terms** : *être en bons termes, être en froid.*
3. **I don't see why :** il faut rappeler que ce type d'expression (comme **it is necessary, important, a pity, extraordinary that...**) entraîne un verbe introduit par **should.**
4. **to trust sb :** *se fier à qqn, mettre sa confiance en, compter sur qqn ;* **trust** : *la confiance* en qqn ou qqch.
5. **any** suivi d'un comparatif dans une phrase à sens

188

« Après tout, puisque nous en sommes réduits à de tels rapports, monsieur Altamont, reprit-il, je ne vois pas pourquoi je me fierais à vous plus que vous ne vous fiez à moi. Vous me comprenez ? ajouta-t-il en regardant pardessus son épaule. Voilà le chèque sur la table. Je revendique le droit d'examiner ce paquet avant que vous ne preniez l'argent. »

L'Américain le lui passa sans un mot. Von Bork défit la ficelle tout entortillée et retira deux papiers d'emballage. Il se trouva alors muet de surprise à contempler fixement un petit livre bleu qui se trouvait devant lui. Sur la couverture était imprimé en lettres dorées : « Manuel pratique d'Apiculture ». Le maître espion eut à peine le temps de jeter un regard furieux à ce titre étrangement hors de propos. L'instant d'après une main de fer lui étreignit la nuque et une éponge chloroformée s'abattit sur son visage grimaçant de douleur.

*
* *

« Un autre verre, Watson ? » fit Sherlock Holmes en tendant la bouteille de Tokay impérial.

Le robuste chauffeur, qui s'était assis près de la table, poussa son verre en avant avec un certain empressement.

« C'est un bon vin, Holmes.

— Un vin remarquable, Watson. Notre ami qui est allongé sur le canapé m'a affirmé qu'il provenait de la cave personnelle de François-Joseph à Schönbrunn.

---

négatif = *absolument pas, pas le moins du monde ;* mais le plus souvent ne se traduit pas, comme ici.

6. **pick the money up** ou **pick up the money** (mais avec un pronom ; pick it up : *ramasse-le*).

7. **winding** ['waindiŋ] : *sinuosité, méandre, enroulement.*

8. **he sat... amazement :** *il resta assis à contempler pendant un moment dans un étonnement silencieux...*

9. **handbook :** *manuel, guide* (petit volume).

10. **only** en tête de phrase suivi d'une inversion verbe-sujet, tournure emphatique mettant en relief **one instant,** qui sera omis après **next** dans la phrase suivante.

11. **grasp :** *étreinte, poigne, prise ;* to **grasp :** *saisir, empoigner,* mais aussi *comprendre le sens de.*

12. **to writhe** [raiθ] : *se tordre, frémir de douleur.*

13. **François-Joseph Ier** (1830-1916) : empereur d'Autriche qui résidait au palais de Schönbrunn près de Vienne.

Might [1] I trouble you to open the window, for chloroform vapour does not help the palate [2]."

The safe was ajar [3], and Holmes standing in front of it was removing dossier after dossier, swiftly [4] examining each, and then packing [5] it neatly in Von Bork's valise. The German lay upon the sofa sleeping stertorously [6] with a strap round his upper arms and another round his legs.

"We need not hurry [7] ourselves, Watson. We are safe from [8] interruption. Would you mind touching the bell. There is no one in the house except old Martha, who has played her part to admiration. I got her the situation here when first I took the matter up [9]. Ah, Martha, you will be glad to hear that all is well."

The pleasant old lady had appeared in the doorway [10]. She curtseyed with a smile to Mr Holmes, but glanced with some apprehension at the figure upon the sofa.

"It is all right, Martha. He has not been hurt at all."

"I am glad of that, Mr Holmes. According to his lights [11] he has been a kind master. He wanted me to go [12] with his wife to Germany yesterday, but that would hardly have suited your plans, would it [13], sir ?"

"No, indeed, Martha. So long as you were here I was easy in my mind. We waited some time for your signal tonight."

---

1. **might :** employé ici pour formuler une requête très déférente (d'où la traduction *d'avoir la gentillesse de*).
2. **palate** ['pælət] : *palais, sens du goût*.
3. **ajar** ['ədʒɑː] : *entrebâillé, entr'ouvert*.
4. **swiftly :** *rapidement ;* swift : (adj.), *prompt, agile, vif ;* swift-tongued : *à la repartie prompte ;* swift-footed : *au pied léger, agile ;* swift-witted : *à l'esprit alerte...*
5. **to pack :** 1) *emballer, mettre dans une valise ;* 2) *entasser, serrer* (the train was packed : *le train était bondé, bourré*) ; to pack off : *plier bagage, décamper.*
6. **stertorous** ['stɔːtərəs] : *ronflant, qui produit un ronflement* (terme médical) ; *ronfler* (en dormant) : **to snore.**
7. **we need not hurry :** need *(avoir besoin de)* est employé ici comme un défectif (cf p. 184 note 5) ; on aurait pu dire aussi **we don't need to hurry.**

Pourrais-je vous demander d'avoir la gentillesse d'ouvrir la fenêtre, car les vapeurs de chloroforme ne facilitent pas la dégustation. »

Le coffre était entr'ouvert et Holmes qui se tenait debout devant lui était occupé à en retirer tous les dossiers, les examinant rapidement un par un et les rangeant ensuite soigneusement dans la valise de von Bork. L'Allemand était allongé sur le canapé et il ronflait tout en dormant ; une courroie ligotait le haut de ses bras, une autre lui liait les jambes.

« Nous n'avons pas besoin de nous dépêcher, Watson. Nous ne risquons pas d'être interrompus. Voudriez-vous sonner. Il n'y a personne dans la maison excepté la vieille Martha, qui a joué son rôle à merveille. Je lui avais trouvé sa situation ici quand j'ai pris l'affaire en main. Ah ! Martha, vous serez heureuse d'apprendre que tout va bien. »

La sympathique petite vieille était apparue sur le seuil. Elle s'inclina devant Sherlock Holmes en souriant, mais elle jeta des regards un peu inquiets vers la forme étendue sur le canapé.

« Tout va bien, Martha, il n'a pas été blessé du tout.

— J'en suis heureuse, monsieur Holmes. Selon ses critères, il a été un bon maître. Il voulait que je parte hier avec sa femme pour l'Allemagne, mais cela n'aurait guère convenu à vos plans, n'est-ce pas, monsieur ?

— Non, vraiment pas. Aussi longtemps que vous étiez ici, j'avais l'esprit tranquille. Nous avons attendu pas mal de temps votre signal, ce soir.

---

8. **safe from :** *à l'abri de ;* **safe :** (adj.), *en sûreté, hors de danger, sain et sauf ;* **safe :** (subst.), *coffre-fort.*
9. **to take up a matter :** *reprendre une affaire* au point où un autre s'est arrêté, *prendre en main un problème.*
10. **doorway :** *encadrement de la porte, entrée, porche.*
11. **light :** *lumière, point de vue,* d'où ici, *critère.*
12. **he wanted me to go :** avec les verbes exprimant un ordre, une interdiction, un désir, une préférence, le verbe est suivi du complément d'objet et de l'inf. complet.
13. **would it :** question brève ajoutée à la phrase précédente pour solliciter l'accord ou la confirmation ; la principale étant à la forme négative (avec **hardly**), la clausule interrogative (qui correspond à « *n'est-ce pas* »en fr.) est à la forme affirmative.

"It was the secretary, sir."

"I know. His car passed[1] ours."

"I thought he would never go. I knew that it would not suit[2] your plans, sir, to find him here."

"No, indeed. Well, it only meant that we waited half an hour[3] or so[4] until I saw your lamp go out and knew that the coast was clear. You can report to[5] me tomorrow in London, Martha, at Claridge's Hotel."

"Very good, sir."

"I suppose you have everything ready[6] to leave."

"Yes, sir. He posted seven letters today. I have the addresses as usual."

"Very good, Martha. I will[7] look into them tomorrow. Good night. These papers," he continued, as the old lady vanished, "are not of very great importance for, of course, the information which they represent has been sent off[8] long ago to the German Government. These are the originals which could not safely be got out of the country[9]."

"Then they are of no use[10]."

"I should not go so far as to say that, Watson. They will at least show our people what is known and what is not. I may say that a good many of these papers have come through[11] me, and I need not add are thoroughly untrustworthy[12]."

---

1. **to pass** : *passer, s'écouler disparaître ;* to pass an exam : *réussir un examen ;* to pass a bill : *faire adopter un projet de loi ;* mais to pass sb : *passer devant qqn, dépasser, croiser qqn.*

2. **to suit** [sju:t] : *accommoder, convenir, bien aller.*

3. **we waited half an hour** = we waited for half an hour ; comme en fr., for *(pendant)* peut être sous-entendu.

4. **or so** : *environ,* ou *à peu près ;* or so se place après le nom qu'il qualifie (**a mile or so** : *environ un mile*).

5. **to report** : *rendre compte, signaler ;* to report to sb : *se présenter à un supérieur ;* to report on : *faire un rapport sur, donner un compte rendu de.*

6. **ready** : *prêt* (à agir ou à être employé) ; to make sth ready ou to get sth ready : *préparer qqch ;* ready for use : *prêt à l'emploi.*

7. **I will** : est employé à la place de **I shall** pour exprimer un futur d'intention ; **shall** employé à la 1re pers. du sing.

— C'était le secrétaire qui était là, monsieur.

— Je sais, sa voiture nous a croisés.

— Je pensais qu'il ne partirait jamais. Je savais que cela aurait contrarié vos plans de le trouver ici, monsieur.

— Cela ne m'aurait vraiment pas plu. En fait, cela nous a simplement obligés à attendre une demi-heure environ avant de voir votre lampe s'éteindre et comprendre que la voie était libre. Vous pouvez venir me voir demain à Londres pour votre rapport, Martha ; à l'hôtel Claridge.

— Très bien, monsieur.

— Je suppose que tout est prêt pour votre départ.

— Oui, monsieur. Il a expédié sept lettres aujourd'hui. J'ai noté les adresses, comme d'habitude.

— Vous avez bien fait, Martha. Je les examinerai demain matin. Bonne nuit ! Ces papiers, continua-t-il après que la vieille femme eut disparu, ne sont pas d'une très grande importance car, bien sûr, les renseignements qu'ils contiennent ont été envoyés depuis longtemps au Gouvernement allemand. Ceux-là sont les originaux qui pouvaient difficilement sortir du pays.

— Alors ils ne sont d'aucune utilité.

— Je n'irai pas jusque-là, Watson. Ils montreront quand même à nos gens ce qui est connu des Allemands et ce qui ne l'est pas. Je dois avouer qu'un bon nombre de ces papiers sont arrivés ici par mon intermédiaire, et je n'ai pas besoin d'ajouter qu'ils sont d'un caractère extrêmement douteux.

---

et du pl. est de niveau recherché et traduit souvent une idée d'obligation ou de contrainte extérieure. **I shall look into them** serait à ici plus pompeux et exprimerait l'idée qu'il faudra les examiner demain.

8. **to send** : *envoyer* ; **to send off** : *expédier, renvoyer, chasser* ; **off** renforce l'idée d'envoi rapide.

9. m. à m. : *qui ne pouvaient pas être sortis du pays sans encombre* (traduit ici par une forme active).

10. **use** [juːs] : *utilité, usage, emploi* ; rappel, **it's no use** + gérondif, *cela ne sert à rien de* + infinitif.

11. **through** [θruː] : *à travers*, a ici le sens de *par l'intermédiaire de, à cause de, grâce à, par le biais de.*

12. **untrustworthy :** *indigne de confiance* (cf p. 202, note 4).

It would brighten my declining years to see a German cruiser navigating[1] the Solent[2] according to the minefield plans which I have furnished. But you, Watson," he stopped his work and took his old friend by the shoulders, "I've hardly seen you in the light yet. How have the years used you[3] ? You look the same blithe[4] boy as ever[5]."

"I feel twenty years younger, Holmes. I have seldom felt so happy as when I got your wire asking me to meet you at Harwich[6] with the car. But you, Holmes — you have changed very little — save for[7] that horrible goatee."

"These are the sacrifices one[8] makes for one's country, Watson," said Holmes, pulling at his little tuft. "Tomorrow it will be but a dreadful[9] memory. With my hair cut and a few other superficial changes I shall no doubt reappear at Claridge's tomorrow as I was before this American stunt[10] — I beg your pardon, Watson, my well of English seems to be permanently defiled[11] — before this American job came my way."

"But you had retired[12], Holmes. We heard of you as living the life of a hermit among your bees and your books in a small farm upon the South Downs[13]."

"Exactly, Watson. Here is the fruit of my leisured ease[14], the magnum opus of my latter years !

---

1. **to navigate** : *parcourir en bateau, naviguer* (sur une mer, un fleuve) ; noter la construction du verbe + c.o.d.
2. **the Solent** : *le Solent ;* bras de mer entre le sud de l'Angleterre et l'île de Wight, où les champs de mine assuraient la protection des deux grands ports de Southampton et Portsmouth.
3. m. à m. : *comment les ans vous ont-ils usés ?* Noter l'emploi du **present perfect** en angl. traduit ici par un présent, car il s'agit d'une action démarrée dans le passé qui a une conséquence présente.
4. **blithe** [blaið] : *joyeux, gai, enjoué* (terme poétique).
5. **the same... as ever** : *le même que toujours ;* ever a ici un sens affirmatif (comme dans **for ever** : *pour toujours*).
6. **Harwich** : port sur la côte est de l'Angleterre (comté d'Essex).
7. **save for** = **except** : *sauf, excepté, hormis.*

Cela réjouirait mes vieux jours si je pouvais voir un croiseur allemand passer le Solent en suivant le plan de mines que je leur ai fourni. Mais vous, Watson... Il arrêta ses rangements et prit son vieil ami par les épaules ; je vous ai à peine regardé en pleine lumière jusqu'à maintenant. Comment supportez-vous le poids des ans ? Vous avez toujours l'air du joyeux garçon d'antan.

— J'ai l'impression d'avoir vingt ans de moins, Holmes. Je me suis rarement senti aussi heureux que lorsque j'ai reçu votre télégramme me demandant de vous retrouver à Harwich avec la voiture. Mais vous, Holmes ? Vous avez très peu changé, sauf cet horrible petit bouc.

— Cela fait partie des sacrifices que l'on consent à son pays, Watson, répondit Holmes en tirant sur sa petite touffe de barbe. Demain ce bouc ne sera plus qu'un affreux souvenir. Avec mes cheveux coupés et quelques autres modifications de surface, je suis sûr que je réapparaîtrais demain au Claridge tel que j'étais avant ce cirque américain — oh je vous demande pardon, Watson, mon anglais semble être en permanence truffé d'argot — je veux dire avant qu'on me propose ce travail américain.

— Mais vous vous étiez retiré, Holmes. Nous avions entendu dire que vous viviez comme un ermite parmi vos abeilles et vos livres dans une petite ferme des South Downs.

— Exactement, Watson. Et voici le fruit de ma paisible existence, la grande œuvre de mes dernières années ! »

---

8. **one** : exprime de façon très impersonnelle une généralité ; veiller à la concordance avec l'adj. possessif **one's**.

9. **dreadful** : *affreux, épouvantable ;* formé du nom **dread** : *terreur, effroi,* et du suffixe **-ful** ; de même, **careful** : *prudent ;* **painful** : *douloureux ;* **useful** : *utile,* etc.

10. **stunt** : (argot), *tour de force, coup fait pour épater.*

11. m. à m. : *ma source d'anglais semble être souillée (corrompue, profanée) en permanence* (par l'argot américain).

12. **to retire** : *se retirer, prendre sa retraite.*

13. **South Downs** : *chaînes de collines au sud de l'Angleterre dans les comtés de Kent, Surrey et Sussex ;* **down** [daun] : *plaine ondulée, coteau ;* **sand down** : *dune.*

14. **my leisured ease** : *ma tranquillité désœuvrée ;* **leisure** ['leʒə] : *loisir, temps libre.*

He picked up the volume from the table and read out [1] the whole title, Practical Handbook of Bee Culture, with some Observations upon the Segregation of the Queen. "Alone I did it. Behold [2] the fruit of pensive nights and laborious days, when I watched the little working gangs [3] as once [4] I watched the criminal world of London."

"But how did you get to work again ?"

"Ah, I have often marvelled at [5] it myself. The Foreign Minister alone I could have withstood [6], but when the Premier [7] also deigned to visit my humble roof — ! The fact is, Watson, that this gentleman upon the sofa was a bit too strong for our people. He was in a class by himself. Things were going wrong [8], and no one could understand why they were going wrong. Agents were suspected or even caught, but there was evidence [9] of some strong and secret central force. It was absolutely necessary to expose it. Strong pressure was brought upon me to look into the matter. It has cost me two years, Watson, but they have not been devoid of [10] excitement. When I say that I started my pilgrimage [11] at Chicago, graduated [12] in an Irish secret society at Buffalo [13], gave serious trouble to the constabulary [14] at Skibbereen [15] and so eventually caught the eye of a subordinate agent of Von Bork, who recommended me as a likely man, you will realize that the matter was complex.

---

1. **to read out :** *lire à haute voix, donner lecture.* Le prétérit et le **p. perfect read** se prononcent [red].
2. **to behold :** *apercevoir, contempler* (forme littéraire) ; à l'impératif, sorte d'interjection : *voyez, et voilà que...*
3. **gang :** *équipe, escouade* (d'ouvriers), *bande* (de voleurs), ici *équipe de travail,* sans nuance péjorative
4. **once :** *une fois (deux fois = twice), jadis, autrefois, à un moment donné ; at once : tout de suite, immédiatement.*
5. **to marvel at :** (désuet), *s'émerveiller de ;* en angl. courant, to be amazed at ; **marvellous :** *merveilleux, étonnant.*
6. **to withstand (withstood, withstood) :** *résister à, s'opposer à ;* noter la construction du verbe suivi d'un c.o.d.
7. **Premier** = Prime Minister (noter la majuscule pour les titres de fonction en angl.).
8. **to go wrong :** *aller mal, se détraquer, se gâter, « mal*

Il prit le livre sur la table et lut à haute voix le titre en entier : « Manuel pratique d'Apiculture, avec quelques observations sur la ségrégation de la reine ». Je l'ai écrit seul. Voyez le résultat de nuits méditatives et de journées laborieuses pendant lesquelles j'ai surveillé ces petites ouvrières au travail exactement comme autrefois je surveillais à Londres le monde du crime.

— Mais comment en êtes-vous venu à reprendre du service ?

— Ah ! je m'en suis souvent étonné moi-même ! Au ministre des Affaires étrangères seul, j'aurais pu résister, mais quand le Premier ministre aussi a daigné me rendre visite sous mon humble toit !... Le fait est, Watson, que ce gentleman sur le canapé était un peu trop fort pour nos gens. Il était d'une classe à part. Les choses allaient mal et personne ne comprenait pourquoi elles allaient mal. Des agents étaient soupçonnés ou même arrêtés, mais il était évident qu'il y avait derrière eux une force puissante et mystérieuse. Il était absolument nécessaire de la démasquer. On a exercé sur moi de fortes pressions pour que j'examine le problème. Cela m'a pris deux ans, Watson, mais ces deux années n'ont pas été dépourvues d'intérêt. Quand je vous raconterai que j'ai commencé mon pèlerinage à Chicago, que j'ai gagné mes galons dans une société secrète irlandaise à Buffalo, que j'ai causé de sérieux ennuis à la police de Skibbereen, ce qui m'a valu finalement d'attirer l'attention d'un des hommes de Von Bork qui m'a recommandé à son patron comme un agent potentiel, vous comprendrez que l'affaire était délicate.

---

tourner » ; **to do wrong to sb** : *faire du tort à qqn* ; **to be wrong** : *avoir tort* ; **right and wrong** : *le bien et le mal.*
9. ▲ **evidence** 1) *évidence d'un fait* ; 2) *preuve* ; 3) *témoignage, déposition* ; **there was evidence = it was obvious that...**
10. **devoid of** : *dépourvu de, dénué de* ; **void** : *le vide.*
11. **pilgrimage** : *pèlerinage* ; **pilgrim** : *le pèlerin.*
12. **to graduate** : *recevoir des diplômes* ; par ext., *acquérir les qualités nécessaires pour devenir,* ou *être apte à être...* ici, un bon agent secret.
13. **Buffalo** : grande ville du nord-est des U.S.A.
14. **constabulary** [kən'stæbjuləri] : *la police.* **constable** ['kʌnstəbl] : *agent de police, gardien de la paix.*
15. **Skibbereen** : port du sud-ouest de l'Irlande.

Since then, I have been honoured by his confidence [1], which has not prevented [2] most of his plans going subtly wrong and five of his best agents being in prison. I watched them, Watson, and I picked them as [3] they ripened [4]. Well, sir, I hope that you are none the worse !"

The last remark was addressed to Von Bork himself, who after much [5] gasping [6] and blinking [7] had lain [8] quietly listening to Holmes's statement. He broke out [9] now into a furious stream of German invective, his face convulsed with passion. Holmes continued his swift investigation of documents while his prisoner cursed [10] and swore [11].

"Though unmusical, German is the most expressive of all languages," he observed, when Von Bork had stopped from pure exhaustion [12]. "Hullo [13] ! Hullo !" he added, as he looked hard at the corner of a tracing before putting it in the box. "This should put another bird in the cage. I had no idea that the paymaster was such a rascal, though I have long had and eye upon him. Mister Von Bork, you have a great deal to answer for [14]."

The prisoner had raised himself with some difficulty upon the sofa and was staring with a strange mixture of amazement and hatred at his captor.

---

1. **confidence :** 1) *confiance* (to have confidence in : *avoir confiance en ;* to be confident that : *être convaincu que*) ; 2) ici, *confidence* (faite à qqn) ; to be in sb 's confidence : *partager les secrets de qqn.*
2. **to prevent :** *empêcher ;* se construit soit avec un adj. possessif + gérondif (I can't prevent his leaving the country : *je ne peux l'empêcher de quitter le pays*) ; soit avec un c.o.d. de personne + from + gérondif (I can't prevent him from leaving the country) ; ou comme ici avec un c.o.d. (his plans) + from (parfois omis) + gérondif.
3. **as :** employé ici dans le sens de *quand, à mesure que,* puisqu'il s'agit d'actions parallèles.
4. **to ripen :** *mûrir ;* ripe : *mûr, arrivé à maturité.*
5. **much :** est de style plus recherché que a lot of.
6. **to gasp :** *avoir le souffle coupé, haleter, suffoquer.*

Depuis lors, j'ai été honoré de sa confiance ce qui n'a pas empêché la plupart de ses plans de se trouver mystérieusement déjoués et cinq de ses meilleurs agents d'être expédiés en prison. Je les surveillais, Watson, et je cueillais les fruits à mesure qu'ils mûrissaient. Eh bien ! monsieur, j'espère que vous ne vous en portez pas plus mal ! »

Cette dernière remarque était adressée à von Bork lui-même, car celui-ci, après maints bâillements et clignements des yeux, était resté tranquillement allongé à écouter les explications de Holmes. Il éclata alors en un furieux torrent d'injures en allemand, le visage déformé par la rage. Holmes continua rapidement son examen des documents pendant que son prisonnier sacrait et jurait.

« Bien que peu musical, l'allemand est la plus expressive de toutes les langues ! » remarqua-t-il quand von Bork, à bout de souffle, se fut tu. « Tiens ! Tiens ! ajouta-t-il en regardant fixement le coin d'un dessin décalqué avant de le ranger dans la boîte. Ceci devrait nous permettre de mettre en cage un autre oiseau. Je n'avais aucune idée que le commissaire de la Marine était un tel gredin, bien que je l'aie à l'œil depuis longtemps. Monsieur von Bork, vous allez avoir à répondre de nombreux méfaits ! »

Le prisonnier s'était redressé non sans difficulté sur le canapé et il fixait l'auteur de sa capture avec un mélange de stupéfaction et de haine.

---

7. **to blink:** *cligner des yeux, jeter une lueur fugitive.*
8. **to lie (lay, lain) :** *être couché, être étendu.*
9. **to break out :** *éclater* (un orage, un feu, une guerre), ici, *éclater en cris et clameurs.*
10. **to curse :** *maudire, blasphémer, sacrer* (**curse him !** *le diable l'emporte !*) ; **curse :** *malédiction.*
11. **to swear (swore, sworn) :** 1) *jurer, faire serment ;* 2) *proférer des jurons ;* **to curse and swear :** *jurer et sacrer.*
12. **exhaustion :** *épuisement ;* **from** marque ici la cause, l'origine, le motif : m. à m. : *par simple épuisement.*
13. **hullo** ['hʌ'lou] : *ohé, holà, tiens, tiens,* (de surprise).
14. **you have a great deal to answer for** = you have to answer for a great deal, m. à m. : *vous avez à répondre de bien des choses* (l'inversion marque l'insistance).

"I shall get level[1] with you, Altamont," he said, speaking with slow deliberation, "if it takes me all my life I shall get level with you !"

"The old sweet[2] song," said Holmes. "How often have I heard it in days gone by[3]. I was a favourite ditty[4] of the late[5] lamented Professor Moriarty. Colonel Sebastian Moran has also been known to[6] warble[7] it. And yet I live and keep bees upon the South Downs."

"Curse you, you double traitor !" cried the German, straining[8] against his bonds and glaring[9] murder from his furious eyes.

"No, no, it is not so bad as that," said Holmes, smiling. "As my speech[10] surely shows you, Mr Altamont of Chicago had no existence in fact. I used him and he is gone[11]."

"Then who are you ?"

"It is really immaterial[12] who I am, but since the matter seems to interest you, Mr Von Bork, I may say that this is not my first acquaintance[13] with the members of your family. I have done a good deal of business in Germany in the past and my name is probably familiar to you."

"I would wish to know it," said the Prussian grimly.

"It was I who brought about[14] the separation between Irene Adler and the late King of Bohemia when your cousin Heinrich was the Imperial Envoy.

---

1. **level** : (subst.), *niveau* (at **eye level** : *à hauteur des yeux*) ; **level** : (adj.), *horizontal, de niveau ;* **to get level with** : *se mettre au même niveau,* d'où, *rendre la pareille.*

2. **sweet** : 1) *doux, sucré, bon* (au goût) 2) *agréable, aimable, gracieux* (de caractère) ; **sweet** : (subst.), *bonbon, friandise ;* **sweetheart** (**the last pages** : *amoureux, chéri, bon ami.*

3. **in days gone by** : *autrefois* (avec une nuance de nostalgie) ; se dit aussi, **in the past, in old times, once.**

4. **ditty** : *chansonnette ;* **old ditties** : *vieux refrains.*

5. **late** : a ici le sens de *défunt, ancien, feu.* Attention **the latest** a le sens du *plus récent* (**the latest news** : *les toutes dernières nouvelles*) ; mais **the last** = *le dernier* dans une série (**the last pages** : *les dernières pages*).

6. **he is known to** + verbe : *il est connu pour, il a la réputation de.*

« Je vous rendrai la pareille, Altamont ! déclara-t-il en parlant avec un lenteur délibérée ; dussé-je y consacrer toute ma vie, je vous revaudrai cela !

— La bonne vieille chanson ! fit Holmes. Combien de fois l'ai-je entendue autrefois ! C'était le leitmotiv préféré de feu le regretté porfesseur Moriarty. Le colonel Sebastian Moran est également connu pour avoir chanté le même refrain. Et pourtant je suis en vie et je m'occupe d'abeilles dans les South Downs !

— Soyez maudit, double traître ! cria l'Allemand en tirant de toutes ses forces sur ses liens tout en lançant à Holmes des regards meurtriers.

— Non, non, cela n'est pas si grave que ça ! répliqua Holmes en souriant. Comme mon accent vous l'indique certainement, ce M. Altamont de Chicago n'a en fait jamais existé. Je me suis servi de lui et il est parti.

— Alors qui êtes-vous donc ?

— C'est vraiment sans importance de savoir qui je suis, mais puisque la question semble vous intéresser, monsieur von Bork, je puis vous dire que ceci n'est pas ma première rencontre avec des membres de votre famille. J'ai traité un certain nombre d'affaires en Allemagne autrefois et mon nom vous est sans doute familier.

— Je voudrais bien le connaître, répondit le Prussien d'une voix lugubre.

— C'est moi qui ai provoqué la séparation entre Irène Adler et le défunt roi de Bohême quand votre cousin Heinrich était l'Émissaire Impérial.

---

7. **to warble** : *gazouiller* (oiseau, ruisseau), *chantonner*.
8. **to strain** : 1) *tendre fortement* ou *exagérément* (d'où *fausser*) ; **to strain a muscle** : *forcer, fouler un muscle* ; 2) *filtrer* (un liquide), *tamiser, égoutter* (des légumes).
9. **to glare** : ici, *exprimer par des regard furieux*.
10. **speech** : ici, *parole, articulation, façon de parler ;* (**speech therapy** : *orthophonie ;* **speechless** : *sans voix, interloqué*) ; également, *discours* (**to make a speech**).
11. △**he is gone** : *il est parti ;* **he has gone** : *il est allé, il a été*.
12. **immaterial** : *immatériel, sans importance, indifférent*.
13. **acquaintance** [ə'kweintəns] : *connaissance* (**to make acquaintance with** : *faire connaissance de*) ; également, *personne de connaissance, relation*.
14. **to bring about** : *causer, déterminer, occasionner*.

It was I also who saved[1] from murder, by the Nihilist Klopman, Count Von und Zu Grafenstein, who was your mother's elder[2] brother. It was I —"

Von Bork sat up in amazement.

"There is only one man," he cried.

"Exactly," said Holmes.

Von Bork groaned and sank back[3] on the sofa. "And most of that information came through you," he cried. "What is it worth ? What have I done ? It is my ruin for ever !"

"It is certainly a little untrustworthy[4]," said Holmes. "It will require some checking, and you have little time to check[5] it. Your admiral may find the new guns[6] rather larger than he expects, and the cruisers perhaps a trifle[7] faster."

Von Bork clutched[8] at his own throat in despair.

"There are a good many other points of detail which will, no doubt, come to light in good time. But you have one quality which is very rare in a German, Mr Von Bork ; you are a sportsman and you will bear me no ill-will[9] when you realize that you, who have outwitted[10] so many other people, have at last been outwitted yourself. After all, you have done your best for your country, and I have done my best for mine, and what could be more natural ?

---

1. **to save :** 1) *sauver* (**to save sb from a danger :** *sauver qqn d'un danger*) ; 2) *épargner, éviter* (**to save sb the trouble :** *éviter à qqn le dérangement ;* **to save time :** *gagner du temps*) ; 3) *mettre de côté, économiser* (**savings bank :** *caisse d'épargne*).

2. **elder :** comparatif irrégulier de **old :** *vieux ;* principalement utilisé pour comparer les âges au sein d'une famille ; **the elder :** *l'aîné* (de deux) ne peut être suivi de **than**.

3. **to sink (sank, sunk) :** *sombrer, couler, s'enfoncer, s'effondrer ;* **to sink back :** *s'affaler en arrière*.

4. **untrustworthy :** adj. formé à partir de l'adj. **worthy :** *digne, estimable ;* du subst. **trust :** *la confiance ;* et du préfixe **un** *qui a une valeur négative (comme* **in** *ou* **im**) ; **untrustworthy** = *sujet à caution, récusable, non fiable*.

C'est encore moi qui ai épargné au comte von und zu Grafenstein, qui était le frère aîné de votre mère, d'être assassiné par le nihiliste Klopman. C'est moi qui... »

Von Bork se redressa muet de stupeur.

« Il n'y a qu'un seul homme au monde ! s'écria-t-il.

— Tout à fait exact ! » répondit Holmes.

Von Bork gémit et retomba sur le canapé. « Et la plupart de ces renseignements me parvenaient par votre intermédiaire ! s'écria-t-il. Quelle valeur ont-ils donc ? Ah ! qu'ai-je fait ? Je suis anéanti pour toujours !

— Mes informations sont certainement d'un caractère un peu douteux. Elles nécessitent quelques vérifications et vous disposez de peu de temps pour le faire. Votre amiral découvrira peut-être que les nouveaux canons sont relativement plus gros que ce qu'il pensait, et que les croiseurs sont peut-être un petit peu plus rapides. »

Von Bork s'étreignit la gorge dans un geste désespéré.

« Il y a pas mal d'autres points de détail qui, sans aucun doute, se révèleront en leur temps. Mais vous possédez une qualité qui est très rare pour un Allemand, monsieur von Bork : vous êtes de la race des sportifs, et vous ne me garderez pas rancune quand vous comprendrez que vous, qui avez dupé tant d'autres personnes, avez été finalement dupé à votre tour. Après tout, vous avez fait de votre mieux pour votre pays, et j'ai fait de mon mieux pour le mien ; quoi de plus naturel ?

---

5. **to check :** 1) *vérifier, contrôler* (**to check up** : *vérifier à fond*) ; 2) *faire échec à, mettre obstacle à, enrayer, maîtriser* (**to check inflation** : *juguler l'inflation*).

6. **gun :** *canon, fusil* (de chasse) ; *revolver* (sens U.S.)

7. **trifle** ['traifl] : *bagatelle, vétille, chose de peu d'importance ;* ici, locution adverbiale, *un tant soit peu, quelque peu.*

8. **to clutch :** *saisir, empoigner, s'agripper à ;* **clutch** : *griffe, serre d'oiseau,* également *embrayage* de voiture.

9. **to bear (bore, borne) :** *porter, supporter,* a ici le sens de *porter en soi, d'entretenir* (un sentiment) ; **to bear sb ill-will** = **to bear a grudge against sb** : *garder rancune, en vouloir à qqn.*

10. **to outwit :** *duper, se montrer plus malin que qqn.*

Besides," he added, not unkindly[1], as he laid his hand upon the shoulder of the prostrate man, "it is better than to fall before some more ignoble foe[2]. These papers are now ready, Watson. If you will help[3] me with our prisoner, I think that we may get started[4] for London at once."

It was no easy task[5] to move Von Bork, for he was a strong and desperate man. Finally, holding either[6] arm, the two friends walked[7] him very slowly down the garden walk which he had trod[8] with such[9] proud confidence when he received the congratulations of the famous diplomatist[10] only a few hours before. After a short, final struggle he was hoisted, still bound hand and foot, into the spare seat of the little car. His precious valise was wedged in beside him.

"I trust that you are as comfortable as circumstances permit," said Holmes, when the final arrangements were made. "Should I be guilty of a liberty if[11] I lit a cigar and placed it between your lips ?"

But all amenities were wasted upon the angry German[12].

"I suppose you realize, Mr Sherlock Holmes", said he, "that if your Government bears you out in this treatment it becomes an act of war."

---

1. **not unkindly :** *pas méchamment ;* formulation qui dit moins pour suggérer plus (litote), d'où « *avec douceur* ».

2. **foe** [fou] : terme poétique, *ennemi, adversaire* (**friend or foe** ? *ami ou ennemi ?*).

3. **if you will help :** will est employé ici dans le sens de *vouloir, être déterminé à,* et il est accentué ; **I'll help you :** *je vous aiderai ;* **I will help you** : *je suis décidé à vous aider.*

4. **to get started :** implique une notion d'effort = *se mettre en route, au travail ;* à rapprocher de **let's get going :** *allons-y, dépêchons-nous.*

5. **task :** *tâche, besogne ;* il est à noter que l'accent circonflexe en fr. est souvent remplacé par un « s » en angl. : *forêt :* **forest** ; *pâtisserie :* **pastry** ; *hôpital :* **hospital**, etc.

6. **either** + sing. : *l'un ou l'autre, chacun* (de deux),

En outre — ajouta-t-il avec douceur tout en posant une main sur l'épaule de l'homme prostré — cela vaut mieux que d'être écrasé par un adversaire plus ignoble. Ces papiers sont maintenant prêts, Watson. Si vous vouliez bien m'aider à emmener notre prisonnier, je pense que nous pourrions nous mettre en route pour Londres aussitôt. »

Ce ne fut pas une tâche facile que de faire bouger von Bork, car il avait de la force et c'était un homme désespéré. Finalement, en lui tenant chacun un bras, les deux amis lui firent descendre lentement l'allée du jardin, celle-là même qu'il avait parcourue avec tant d'orgueilleuse confiance quand il avait reçu les compliments du célèbre diplomate, quelques heures à peine auparavant. Après une dernière courte lutte, il fut hissé, pieds et poings toujours liés, sur le siège arrière de la petite voiture. Sa précieuse valise fut calée dans le coin à côté de lui.

« J'espère que vous êtes aussi confortablement installé que les circonstances le permettent, déclara Holmes quand tout fut prêt pour le départ. Prendrai-je la liberté de vous allumer un cigare et de le placer entre vos lèvres ? »

Mais toutes ces amabilités ne réussirent pas à calmer la colère de l'Allemand.

« Je suppose que vous vous rendez compte, monsieur Sherlock Holmes, répliqua-t-il, que si votre gouvernement justifie votre façon d'agir, cela devient un acte de guerre.

---

n'importe lequel (de deux) ; **on either side of the fire** : *de chaque côté du feu,* soit d'un côté, soit de l'autre. Mais *les deux à la fois* = **both** + pl.

7. **to walk** est ici verbe transitif dans le sens de *faire marcher* (**to walk a dog** : *promener un chien*).

8. **to tread** [tred]**(trod, trodden)** : *marcher* (sur), *fouler.*

9. **such** : n'est ici pas suivi de l'art. indéfini "a" car **confidence** n'est pas un nom comptable ; mais on dira **such a proud man** : *un homme si fier, tellement fier.*

10. **diplomatist** [di'ploumətist] = **diplomat** ['dipləmæt].

11. m. à m. : *serais-je coupable de prendre une liberté si…* formule volontairement ampoulée (**should I be** + adj. + **if**).

12. m. à m. : *ces amabilités furent gaspillées (en pure perte) pour le furieux Allemand.*

"What about [1] your Government and all this treatment [2] ?" said Holmes, tapping the valise.

"You are a private individual. You have no warrant [3] for my arrest. The whole proceeding [4] is absolutely illegal and outrageous."

"Absolutely." said Holmes.

"Kidnapping a German subject."

"And stealing his private papers."

"Well, you realize your position, you and your accomplice here. If I were to shout [5] for help as we pass through the village —"

"My dear sir, if you did anything so foolish you would probably enlarge the too limited titles of our village inns by giving us 'The Dangling [6] Prussian' as a sign post [7]. The Englishman is a patient creature, but at present his temper [8] is a little inflamed and it would be as well not to try [9] him too far. No, Mr Von Bork, you will go with us in a quiet, sensible fashion to Scotland Yard, whence [10] you can send for your friend Baron Von Herling and see if even now you may not fill that place which he has reserved for you in the ambassadorial suite. As to you, Watson, you are joining up [11] with your old service, as I understand, so London won't be out of your way [12]. Stand with me here upon the terrace for it may be the last quiet talk that we shall ever have."

---

1. **about :** *au sujet de, à propos de,* est ici précédé de **what** et exprime une suggestion : **what about going to the cinema !** *et si on allait au cinéma !* **what about tea !** *que dirais-tu d'une tasse de thé ?*

2. **treatment :** *traitement ;* ici, façon dont les Allemands traitaient les relations diplomatiques, se conduisaient.

3. **warrant :** 1) *garantie ;* 2) *justification, autorisation ;* 3) *mandat, ordre, pouvoir, procuration* (**search warrant :** *mandat de perquisition*).

4. **proceeding :** ici, *façon d'agir, procédé* (**this is how to proceed :** *voilà comment s'y prendre*) ; au pl., *délibérations, débats ;* **legal proceedings :** *poursuites judiciaires.*

5. **if I were to shout :** style recherché ; en angl. courant, **if I shouted,** *si je décidais de crier.*

6. **to dangle :** *pendiller, être pendu, être ballant.*

7. **you would... sign post :** m. à m. : *vous développeriez probablement les titres trop limités de nos auberges de*

— Et si l'on parlait de votre gouvernement et de ses agissements ? fit Holmes en tapotant sur la valise.

— Vous êtes un particulier. Vous n'avez aucun mandat pour m'arrêter. Tout dans vos procédés est absolument illégal et scandaleux.

— Mais absolument ! répondit Holmes.

— Kidnapper un sujet allemand !

— Et lui voler ses papiers personnels !

— Bien, je vois que vous réalisez votre situation, vous et votre complice ici présent. Et si j'appelais au secours quand nous traverserons le village...

— Mon cher monsieur, si vous faisiez quelque chose d'aussi stupide, vous augmenteriez probablement le nombre des enseignes de nos auberges de village — dont les titres sont trop limités — en leur apportant une nouvelle idée ; "Au Prussien Pendu" serait d'un grand attrait touristique ! L'Anglais est d'une nature patiente, mais à présent il est d'une humeur un peu irritable et il vaudrait mieux ne pas le pousser trop loin. Non, monsieur von Bork, vous nous accompagnerez tranquillement et sagement à Scotland Yard, d'où vous pourrez envoyer chercher votre ami le baron von Herling avec qui vous examinerez si vous ne pourriez pas quand même occuper cette place qu'il vous a réservée dans la suite personnelle de l'ambassadeur. Quant à vous, Watson, vous reprenez du service, d'après ce que je comprends ; alors nous emmener à Londres ne vous dérangera pas trop. Venez avec moi sur la terrasse car c'est peut-être le dernier entretien paisible que nous aurons jamais. »

---

village en nous donnant « Le Prussien Pendu » comme enseigne ; **sign post :** *poteau indicateur, panneau de signalisation, enseigne ;* et au sens figuré, *indication.*

8. **temper :** 1) *sang-froid, calme* (**to lose one's temper :** *se mettre en colère*) 2) ici, *caractère, tempérament.*

9. **to try :** *essayer,* a ici le sens de *mettre à l'épreuve* (souvent pénible), *d'éprouver* (l'endurance, la patience...).

10. **whence :** *forme littéraire et désuète, de là, d'où ;* en angl. moderne, *from where, from which.*

11. **to join :** *joindre, rejoindre, se joindre à* (**to join the army :** *entrer dans l'armée*) ; **to join up :** *s'enrôler.*

12. **out of your way :** *à l'écart de votre chemin* (idée de faire un détour) ou *de vos habitudes* (idée de déranger).

The two friends chatted in intimate converse [1] for a few minutes, recalling [2] once again the days of the past whilst [3] their prisoner vainly wriggled to undo the bonds that held him. As they turned to the car, Holmes pointed back to the moonlit [4] sea, and shook a thoughtful head.

"There's an east wind coming, Watson."

"I think not [5], Holmes. It is very warm."

"Good old Watson ! You are the one fixed point in a changing age. There's an east wind coming all the same, such a wind as never blew on England yet [6]. It will be cold and bitter, Watson, and a good many of us may wither [7] before its blast [8]. But it's God's own wind [9] none the less, and a cleaner, better, stronger land will lie in the sunshine when the storm has cleared. Start her up [10], Watson, for it's time [11] that we were on our way. I have a cheque for five hundred pounds which should be cashed early, for the drawer is quite capable of stopping it, if he can."

---

1. **converse :** terme désuet = **conversation.**
2. **to recall :** *faire revenir, rappeler qqn, rétracter* (it's **beyond recall** : *c'est irrévocable*) ; mais aussi, *se rappeler se souvenir de, faire revivre* (le passé...).
3. **whilst :** conjonction, plus littéraire que **while** = *tandis que, pendant que ; tant que, aussi longtemps que.*
4. **moonlit :** lit est le p. passé de **to light,** (**lighted** est également possible), *allumer, éclairer, illuminer ;* **moonlight** : *le clair de lune.*
5. **I think not :** plus recherché que I **don't think so.**
6. **never... yet :** *jamais encore ;* **yet** (adv. de temps) signifie que l'action n'a pas eu lieu mais aura lieu ultérieurement ; généralement associé à un verbe négatif : **he hasn't returned yet** : *il n'est pas encore rentré ;* mais avec un verbe affirmatif, **he is still here** : *il est encore là.*

Pendant quelques minutes, les deux amis bavardèrent en toute intimité, se remémorant une fois encore des histoires du bon vieux temps, tandis que leur prisonnier se débattait en vain pour se défaire des liens qui le ligotaient. Alors qu'ils revenaient vers la voiture, Holmes se retourna vers la mer éclairée par la lune et hocha pensivement la tête.

« Voilà le vent d'est qui se lève, Watson !

— Je ne pense pas, Holmes. Il fait très chaud.

— Cher vieux Watson ! Vous êtes le seul point fixe d'une époque qui change. Il y a quand même un vent d'est qui se lève, un vent tel qu'il n'en a jamais soufflé sur l'Angleterre. Il sera froid et aigre, Watson, et il se peut qu'un grand nombre d'entre nous périssent sous la rafale. Mais néanmoins c'est le vent de Dieu ; et une nation plus pure, meilleure et plus forte surgira dans le soleil quand l'orage aura passé. Démarrez la voiture, Watson, car il est temps de nous mettre en route. J'ai un chèque de cinq cents livres en poche qu'il faudrait que je touche très vite car le tireur serait tout à fait capable d'y faire opposition, s'il le pouvait ! »

---

7. **to wither :** *se dessécher, dépérir, se faner.*
8. **blast :** *coup de vent, explosion ;* **to blast :** *faire sauter, détruire ;* (familier), *envoyer au diable* (**blast it :** *zut !*).
9. **it's God's own wind :** m. à m. : *c'est le propre vent de Dieu ;* **own** = *à soi, soi-même :* **it's his own money :** *c'est son argent à lui ;* **I make my own dresses :** *je fais mes robes moi-même.*
10. **to start up :** *mettre en marche* une machine, *démarrer* une voiture. Le féminin (**her**) est employé en angl. pour désigner un véhicule qu'on aime bien, et tous les bateaux.
11. **⚠ it is time** est ici suivi d'un prétérit (à valeur d'irréel du présent), indiquant que l'action aurait déjà dû être accomplie ou engagée (**it's time we went :** *il est temps que nous partions*). Mais **it's time for us to go :** *il est l'heure de nous en aller,* n'exprime qu'un constat.

Vocabulaire anglais-français

A

abductor, *ravisseur*, **14**
about to (to be), *être sur le point de*, **138**
absent-minded, *distrait*, **84**
according to, *selon*, **66**
account for (to), *justifier, expliquer*, **42**
accused, *accusé*, **34**
acknowledge (to), *reconnaître, convenir que*, **40**
acquaintance, *connaissance, relation*, **122**
add (to), *ajouter*, **128**
additional, *supplémentaire*, **134**
admit (to), *admettre*, **98**
admittance, *admission*, **80**
advertisement, *publicité, annonce*, **112**
advice, *conseil*, **54**
afford (to), *avoir les moyens de, se permettre de*, **158**
afraid (to be), *avoir peur*, **68**
after all, *après tout*, **202**
afterwards, *par la suite*, **106**
agree (to), *consentir, être d'accord*, **128**
ajar, *entrebâillé*, **190**
alive, *vivant*, **146**
all the same, *tout de même*, **208**
ally, *allié*, **184**
alone, *seul*, **138**
already, *déjà*, **56**
amazed at, *stupéfait de*, **130**
angry, *en colère*, **74**
anxious, 1) *très désireux de*, 2) *anxieux*, **120**
apartment, *appartement*, **138**
apologies, *excuses*, **80**
apologize for (to), *s'excuser de*, **116**
appearance, *apparition, apparence*, **136**
appliance, *appareil, instrument*, **126**
apply to (to), *s'adresser à*, **104**
appointment, 1) *rendez-vous*, 2) *nomination*, **74**

appreciate (to), 1) *évaluer*, 2) *apprécier*, **18**
archaeologist, *archéologue*, **130**
arouse (to), 1) *éveiller*, 2) *exciter*, **86**
arrival, *arrivée*, **158**
as far as, *en ce qui concerne*, **164**
as to you, *quant à vous*, **124**
ashamed, *honteux*, **184**
ash, *cendre*, **64**
asset, *atout, valeur*, **156**
assets, *l'actif (bilan)*, **156**
assurance, *assurance, aplomb*, **70**
astonish (to), *étonner*, **66**
astute, *rusé*, **92**
at least, *au moins*, **170**
at once, *tout de suite*, **196**
attack, *attaque*, **112**
attempt (to), *essayer*, **32**
attempt, *tentative*, **148**
avoid (to), *éviter*, **98**
aware of (to be), *être conscient de*, **158**

B

bachelor, *célibataire*, **116**
backlash, *contrecoup*, **92**
bald, *chauve*, **116**
bank, 1) *banque*, 2) *talus*, 3) *berge*, **58**
bark (to), *aboyer*, **86**
basement, *sous-sol*, **130**
bear (bore, born), *porter, supporter*, **104**
beard, *barbe*, **36**
beast, *bête, animal*, **78**
beat (beat, beaten), *battre, frapper*, **34**
bee, *abeille*, **194**
beg (to), *mendier, supplier*, **26**
believe (to), *croire*, **102**
belong to (to), *appartenir à*, **18**
belongings, *affaires personnelles*, **90**
bench, *banc*, **150**

choose (chose, chosen), *choisir*, **178**

chubby, *joufflu*, **102**

chuckle (to), *rire sous cape*, **72**

cinnamon, *cannelle*, **76**

citizen, *citoyen*, **180**

claim (to), *réclamer, prétendre*, **162**

claim, *revendication*, **120**

clap one's hands (to), *applaudir*, **166**

classify (to), *classer*, **130**

clean-shaven, *bien rasé*, **100**

clear out (to), *déguerpir*, **56**

clear up (to), *clarifier, éclaircir*, **16**

client, *client (prof. libérale)*, **130**

cliff, *falaise*, **154**

close by, *tout près*, **132**

close to, *près de*, **60**

clue, *indice*, **44**

cluster, 1) *grappe, bouquet*, 2) *groupe (de maisons, d'arbres)*, **44**

clutch (to), *empoigner, agripper*, **202**

clutch, 1) *serre d'oiseau*, 2) *embrayage (voiture)*, **202**

coachman, *cocher*, **72**

coast, *côte*, **192**

coin, *pièce de monnaie*, **118**

commit oneself (to), *s'engager à*, **30**

complete (to), 1) *compléter*, 2) *mener à bien*, **120**

complexity, *complexité*, **98**

conceal (to), *cacher*, **66**

conclude (to), *conclure*, **90**

confess (to), *avouer*, **84**

confidence, 1) *confiance*, 2) *confidence*, **198**

confidential, *confidentiel*, **154**

connected with, *qui se rapporte à*, **140**

consultant, *conseiller*, **70**

content, *contenance*, **88**

contents, *le contenu*, **88**

contractor, *entrepreneur*, **18**

contrary (on the), *au contraire*, **68**

convince (to), *convaincre*, **86**

cool (to), 1) *rafraîchir*, 2) *se calmer*, **144**

cooly, *avec sang-froid, calmement*, **144**

copper, 1) *cuivre rouge*, 2) *flic (US)*, **180**

cork, *liège*, **48**

corn, *blé (GB), maïs (US)*, **106**

cost (cost, cost), *coûter*, **186**

counsel, 1) *consultation, conseil*, 2) *avocat (qui plaide)*, **40**

counterfeit (to), *contrefaire*, **146**

country, 1) *pays*, 2) *province*, 3) *campagne*, **110**

county, *comté*, **106**

cover (to), *couvrir*, **78**

crash, *fracas*, **144**

crawl (to), *glisser, ramper lentement sur le sol*, **54**

crazy, *fou*, **148**

criminal, *criminel*, **138**

crimson, *cramoisi*, **184**

crook, *escroc*, **178**

cross (to), *croiser, traverser*, **58**

cross-examination, *contre-interrogatoire*, **100**

crouch (to), *se ramasser sur soi-même*, **140**

cry (to), 1) *crier, s'écrier*, 2) *pleurer*, **100**

culprit, *le coupable*, **84**

cunning, 1) *ruse*, 2) *roublard, malin*, **140**

curiosity, *curiosité*, **120**

curious, *curieux*, **110**

curse (to), *maudire, sacrer*, **198**

curse, *malédiction*, **154**

curtsey (to), *faire une courbette*, **190**

curve, *courbe, tournant*, **78**

cushion, *coussin*, **172**

customer, *client (prof. commerciale)*, **94**

D

dare (défectif), *oser*, **66**

darkness, *obscurité*, **174**

dashing, *impétueux*, **94**

daydream (to), *rêvasser*, **44**

daydreaming, *rêverie (éveillé)*, **44**

dazed, *stupéfié, ahuri*, **146**

dead sure, *absolument certain*, **108**

deaf, *sourd*, **10**

deal, *marché, transaction*, **148**

debris, *débris*, **118**

debt, *dette*, **94**

deceive (to), *tromper*, **156**

deepen (to), *approfondir*, **56**

defence, *défense*, **72**
defer (to), *ajourner, différer*, **82**
defile (to), *profaner*, **194**
deny (to), *nier*, **32**
deprive of (to), *priver de*, **28**
depth, *profondeur*, **144**
describe (to), *décrire*, **66**
detective, *détective*, **104**
devilish, *diabolique*, **140**
devil, *diable, démon*, **66**
devote oneself to (to), *se consacrer à*, **68**
devote to (to), *vouer à*, **138**
die (to), *mourir*, **136**
dip (to), *plonger*, **12**
diqualify (to), *disqualifier*, **120**
disappearance, *disparition*, **40**
disclose (to), *découvrir, révéler*, **164**
discoloured, *décoloré*, **116**
disconsolate, *inconsolable*, **128**
discover, *découvrir*, **108**
disguise (to), *dissimuler*, **86**
dishonest, *malhonnête*, **88**
dish, *plat*, **86**
disposable, *jetable*, **90**
dispose of (to), *se débarrasser de*, **90**
disregard (to), *dédaigner*, **64**
dodge (to), *esquiver*, **66**
dodge, *ruse, mouvement de côté*, **66**
doorway, *entrée, porche*, **190**
dove, *colombe*, **170**
drama, *1) drame, 2) théâtre*, **10**
draw (drew, drawn), *1) tirer, 2) dessiner*, **74**
drawer, *1) tireur (chèque-traite), 2) tiroir*, **138**
dreadful, *épouvantable*, **194**
dress (to), *s'habiller*, **26**
dressing table, *coiffeuse*, **48**
drop (to), *laisser tomber*, **92**
drug (to), *droguer, empoisonner*, **34**
drug, *1) drogue, 2) produit pharmaceutique*, **34**
dryly, *sèchement*, **158**
dull, *terne*, **116**
duplicate (to), *reproduire en double exemplaire*, **34**
duplicate, *double*, **34**

E

eager to (to be), *brûler de, être impatient de*, **176**
eagerly, *ardemment*, **176**
eagle, *aigle*, **154**
earn (to), *gagner (de l'argent)*, **22**
earnestness, *ardeur, ferveur*, **22**
earth, *terre*, **112**
ear, *oreille*, **174**
eccentricity, *excentricité*, **102**
effective, *efficace*, **158**
elbow, *coude*, **112**
elder (the), *l'aînée*, **202**
elderly, *d'un certain âge*, **62**
eliminate (to), *éliminer*, **86**
employer, *employeur*, **180**
enclosure, *1) enclos, 2) pièce jointe (lettre)*, **76**
enjoy (to), *jouir de*, **158**
entrance, *entrée*, **118**
entreaty, *supplication*, **26**
envoy, *envoyé (diplomatique)*, **200**
equally, *également*, **104**
erroneous, *erroné*, **84**
escape from (to), *s'échapper de*, **136**
estimate, *estimation, devis*, **126**
eventually, *finalement*, **140**
evidence, *preuve, témoignage*, **14**
evil, *le mal*, **114**
examine (to), *examiner*, **190**
exhausted, *épuisé*, **198**
expect (to), *s'attendre à*, **52**
expense (at one's), *aux dépens de*, **68**
expense, *dépense, frais*, **68**
expensive, *cher*, **94**
explain (to), *expliquer*, **110**
expressive, *expressif*, **102**
extra, *supplémentaire, en plus*, **186**

F

fade (to), *se faner*, **56**
fail to (to), *ne pas réussir à*, **34**
fair, *juste, loyal*, **134**
faker, *truqueur*, **80**
false, *faux*, **112**
familiar, *familier*, **200**

graduate (to), *recevoir des diplômes*, **196**

grand, *grandiose*, **76**

grasp (to), *1) empoigner, 2) saisir le sens de*, **28**

grasp, *1) étreinte, 2) compréhension*, **188**

greedy, *gourmand*, **168**

gregarious, *grégaire*, **56**

grim, *lugubre sinistre*, **200**

grip (to), *étreindre, s'agripper*, **188**

groan (to), *gémir, grogner*, **202**

ground, *sol, terrain*, **54**

grudge, *rancune*, **168**

guess (to), *deviner*, **180**

guilty, *coupable*, **140**

gun, *canon, revolver (US)*, **202**

guy (US), *type, individu*, **148**

H

habit, *habitude*, **98**

hair, *cheveux*, **78**

ham, *jambon, jarret*, **88**

handbook, *manuel, guide*, **188**

hand over (to), *tendre, passer*, **124**

handle (to), *1) manipuler, manier, 2) traiter, s'occuper de*, **120**

handle, *poignée*, **28**

handsome, *beau*, **174**

hand, *main*, **166**

hang (hung, hung), *pendre, suspendre*, **50**

happen (to), *survenir, se passer*, **60**

hardly, *à peine*, **130**

hard-drinking, *qui boit sec*, **166**

harmful, *nuisible*, **158**

harmless, *inoffensif*, **158**

harm, *mal, tort*, **106**

hastily, *en hâte*, **26**

hatred, *hate, haine*, **198**

have sth done (to), *faire faire qqch*, **178**

hay, *foin*, **48**

headlights, *phares d'auto*, **172**

heap, *tas*, **46**

heat, *chaleur*, **174**

heel, *talon*, **62**

height, *hauteur*, **30**

help oneself (to), *se servir*, **146**

help!, *au secours!*, **206**

hike (to), *faire une randonnée*, **108**

hip, *hanche*, **144**

hitch-hike (to), *faire de l'auto-stop*, **108**

hold (held, held), *tenir*, **104**

hollow, *creux, excavation*, **30**

home secretary, *ministre de l'Intérieur*, **164**

honest, *honnête*, **136**

honoured, *honoré*, **110**

honour, *honneur*, **122**

hopeless, *sans espoir*, **100**

horseshoe, *fer à cheval*, **52**

hotly, *avec fougue*, **128**

hot, *brûlant*, **128**

hound, *chien de meute*, **24**

household, *maisonnée, domesticité*, **162**

however, *cependant*, **42**

huge, *énorme, immense*, **36**

hurry (to), *se dépêcher*, **190**

hurt (hurt, hurt), *blesser*, **144**

hush, *silence*, **154**

hustle (to), *1) pousser sans ménagements, 2) se hâter*, **126**

hypothesis, *hypothèse*, **14**

I

identify (to), *identifier*, **136**

ill, *malade, mauvais (en composition)*, **30**

impend over (to), *être imminent*, **172**

impressed, *impressionné*, **20**

improve (to), *faire des progrès*, **132**

in search of, *à la recherche de*, **26**

indeed, *vraiment*, **190**

information, *renseignement(s)*, **32**

ingenious, *ingénieux*, **112**

inhabit (to), *habiter, peupler*, **20**

injury, *blessure*, **32**

inquest, *enquête judiciaire*, **46**

inquiry, *demande de renseignements*, **26**

inside, *à l'intérieur, l'intérieur*, **178**

insist (to), *insister*, **128**

insult, *insulte*, **82**

intend (to), *avoir l'intention*, **26**

interest, *intérêt*, **118**

interview, *entrevue*, **122**

make sure of (to), *s'assurer de*, **88**

make up one's mind (to), *se décider*, **22**

manage (to), *1) gérer, diriger, 2) parvenir à*, **18**

manner, *manière*, **74**

market, *marché*, **120**

marsh, *marécage*, **58**

marvellous, *merveilleux*, **196**

master (to), *maîtriser*, **184**

match (to), *1) assortir, bien aller ensemble, 2) rivaliser avec*, **100**

matter, *1) matière, 2) sujet, affaire*, **12**

matting, *paillasson*, **52**

mayor, *maire*, **110**

mean (meant, meant), *vouloir dire, signifier*, **158**

medium, *moyen, support*, **84**

meet (met, met), *rencontrer*, **50**

memoirs, *souvenirs biographiques*, **14**

memory, *mémoire, souvenir*, **134**

mention (to), *mentionner*, **114**

mercy, *pitié*, **68**

merely, *simplement*, **122**

midday, *midi*, **168**

milliner, *modiste*, **48**

mind (to), *voir un inconvénient à*, **190**

mind, *esprit*, **184**

minor, *mineur*, **68**

minutely, *minutieusement*, **46**

mischief, *méchanceté, malveillance*, **92**

miserable, *1) malheureux, 2) déplorable*, **94**

miss (to), *1) manquer, 2) éprouver le manque de*, **30**

misspelt, *mal orthographié*, **132**

mix (to), *mélanger*, **84**

mixed up in (to be), *être mêlé à (une affaire)*, **10**

mixed up with (to be), *être confondu avec qqun*, **10**

mixture, *mélange*, **198**

money, *argent*, **122**

monstrous, *monstrueux*, **86**

moonlight, *clair de lune*, **208**

moor, *lande*, **22**

motion, *mouvement*, **186**

motive, *motif, mobile*, **112**

mottled, *tacheté, pommelé*, **74**

move (to), *1) bouger, 2) déménager, 3) émouvoir*, **176**

murder, *meurtre*, **12**

museum, *musée*, **116**

mystery, *mystère*, **80**

N

namesake, *qui porte le même nom propre*, **102**

narrative, *récit*, **122**

nasty, *désagréable, méchant*, **186**

native, *natif*, **136**

nearly, *presque*, **112**

neglect (to), *négliger*, **42**

neighbourhood, *voisinage*, **30**

neighbouring, *avoisinant*, **28**

news, *nouvelle(s)*, **168**

nod (to), *opiner de la tête*, **158**

none the less, *néanmoins*, **208**

note (to), *prendre bonne note*, **116**

note, *1) billet de banque (G.B.), 2) note, message*, **40**

notice (to), *remarquer, s'apercevoir de*, **22**

now and again, *de temps à autre*, **120**

nucleus, *noyau, embryon*, **122**

nursing home, *maison de santé*, **150**

O

oak-panel, *panneau, lambris de chêne*, **164**

obliged to (to be), *être contraint de*, **12**

obvious, *évident*, **102**

occasionally, *à l'occasion*, **48**

occur (to), *avoir lieu, survenir*, **14**

odd, *1) étrange, 2) impair (chiffre)*, **116**

office, *bureau*, **116**

on duty (to be), *être de service*, **20**

once more, *une fois de plus, encore*, **60**

opening, *ouverture, débouché*, **140**

outfit, *équipement, attirail, uniforme*, **104**

out of date, *démodé*, **166**

outline (to), *tracer les contours, les grandes lignes*, **58**

outrageous, *scandaleux*, **206**

stage, *1) estrade, scène, 2) phase, stade,* **150**

stagger (to), *chanceler,* **146**

staircase, *escalier,* **116**

stair, *marche ou escalier,* **116**

stare at (to), *regarder fixement,* **76**

start, *sursaut,* **44**

state (to), *exposer, faire état,* **16**

statement, *déclaration,* **32**

station, *gare,* **36**

steal (stole, stolen), *1) dérober, 2) se mouvoir comme un voleur,* **142**

steam, *vapeur,* **126**

steel, *acier,* **92**

steeple, *clocher,* **44**

step (to), *faire un (ou des) pas,* **20**

step, *1) pas, 2) marche, 3) mesure,* **170**

stick, *canne,* **20**

still, *encore,* **164**

stir up (to), *ameuter, provoquer,* **164**

stir (to), *remuer,* **62**

storm, *orage,* **32**

straight, *1) droit, rectiligne, 2) directement,* **184**

strain (to), *tendre trop fortement,* **200**

strain, *1) surtension, 2) entorse,* **88**

stranger, *étranger,* **62**

strap (to), *fermer avec une courroie,* **174**

stream, *1) flot, 2) ruisseau,* **38**

stretch (to), *s'étirer,* **176**

strike (struck, struck), *frapper (propre et figuré),* **24**

string, *ficelle,* **188**

strip (to), *mettre à nu,* **30**

stripe, *bande, rayure,* **76**

stroke (to), *caresser,* **172**

stroke, *1) caresse, 2) coup, choc, attaque,* **22**

stroll (to), *marcher à pas lents,* **170**

strong, *fort,* **196**

struggle, *lutte,* **30**

study, *1) étude, 2) bureau (pièce),* **52**

stuff (to), *bourrer, farcir,* **166**

subscribe to (to), *souscrire à, s'abonner à,* **150**

suck (to), *sucer,* **170**

suit (to), *convenir,* **192**

suit, *un costume,* **20**

sultry, *1) orageux, 2) boudeur,* **154**

summary, *résumé,* **158**

sum, *somme,* **88**

sunrise, *lever de soleil,* **154**

sunset, *coucher de soleil,* **154**

surgery, *opération chirurgicale,* **88**

surmise, *supposition,* **30**

survey (to), *examiner, inspecter,* **106**

suspicion, *soupçon,* **102**

swear (swore, sworn), *1) faire serment, 2) proférer des jurons,* **198**

sweep (swept, swept), *1) balayer, 2) faire un mouvement ample,* **78**

sweet, *doux, sucré, aimable,* **150**

sweets, *bonbons,* **200**

swiftly, *rapidement et légèrement,* **190**

swift, *vif, agile,* **174**

swing (swang, swung), *balancer, tournoyer,* **166**

T

take a fancy to (to), *s'enticher de,* **173**

take over (to), *prendre la relève ou le contrôle,* **154**

tale, *conte,* **126**

tap dancing, *claquettes,* **206**

tap, *petite tape,* **206**

task, *tâche, besogne,* **204**

tasteless, *insipide,* **84**

tear (tore, torn), *déchirer,* **40**

telephone directory, *annuaire du téléphone,* **100**

temper (to loose one's), *se mettre en colère,* **206**

temper, *1) tempérament, 2) sang-froid,* **206**

tenant, *locataire,* **136**

terms (to be on bad/good), *être en froid, être en bons termes,* **188**

terrible, *terrible, affreux (négatif),* **154**

terrific, *terrible, fantastique (laudatif),* **120**

test (to), *vérifier, expérimenter,* **36**

therefore, *par conséquent,* **56**

thickset, *robuste,* **188**

thief, *voleur,* **34**

Impression réalisée sur Presse Offset par

BRODARD & TAUPIN

GROUPE CPI

30388 – La Flèche (Sarthe), le 02-06-2005
Dépôt légal : mai 1987
Suite du premier tirage : juin 2005

POCKET – 12, avenue d'Italie - 75627 Paris cedex 13
Tél. : 01.44.16.05.00

Imprimé en France